頭の中がカユいんだ

中島らも

集英社文庫

目次

編集協力・小堀純

I

頭の中がカユいんだ

「お昇りなされ。あるいは下りなされ。同じことじゃよ」

――ゲーテ「ファウスト」――

十月三日（木） 夜半

家出をしようとして荷物をまとめていたら、奢灞都《さばと》館の鈴木が黄色いワーゲンに乗ってブラッとやってきた。この人はある種の霊感の持主で、何かことあるところへ絶妙のタイミングで現れる、という特技を持っている。スーツ、Yシャツ、下着、セーター、毛布などの詰まった、巨大なダイビング用バッグを前にして途方に暮れていた僕にとっては、まさに救いの男神さまである。こころなしか、血色の悪いその双頬《そうきょう》に、ある種の崇高さが漂っているようにさえ見えるのだ。

配偶者はベッドの中で、頬《ほお》に涙のナメクジを残したまま、静かな寝息をたてている。

ややワケアリで家出する旨を鈴木に伝えると、僕は簡単な書き置きと、有り金全部を机の上に置いた。カアちゃんを起こさぬように抜き足差し足で玄関を出ていく。大荷物をかついだ我々の姿は、まさに古典的なコソ泥のそれである。ただ、コソ泥と僕が若干ちがうのは、僕は何も盗んでいない、むしろ盗まれた側《がわ》にあるという点だろう。僕は、今夜ほぼ完璧《かんぺき》に盗み尽くされてしまった。形が無いから大事にしていたものの全《すべ》てを盗まれてしまった。疲れ果てて小きざみに埋めて行く、家路の一歩一歩を、あるいは一瞬立ち停《どま》って眺める、自分の家の夜ごとの窓明りを、そしてその中の温気《うんき》を。喰物《くいもの》の匂《にお》いと、犬の鳴き声と、すり寄ってくる卑怯《ひきょう》ものの猫と、似たり寄ったりの愚痴と、新聞と、泥酔と、失神に近い眠りと、覚えられない夢々と、TVと、TVが終わった後のシャーッという雑音と、酒屋のツケと、修理しなければいけない機械類と、明日喰わされる筈《はず》だった挽《ひ》き肉《にく》と、僕が埋めていた空間と、静寂と、静寂をふちどっていた嬌声《きょうせい》と、本と、手紙と、悪ふざけと、収拾がつかなくなったままベッドの中で腐りかけている論争と、まだ名づけられていない感情の数々と、そして詩《うた》と。それらの全てを僕は盗まれてしまった。盗まれてしまったことに対する哀《かな》しみさえも盗まれてしまった。では、盗《ぬす》っ人《と》は誰《だれ》なのか。僕は知らない。盗っ人は盗っ人自身によって盗まれてしまっているからだ。丁度、自分の尻《しり》を自分で持ち上げて宙に浮くことのできるホラ吹き男の塩梅《あんばい》だ。

そんなわけで、僕にはもうほとんど何も残っていない。残されたものといえば、会社の仕事と、何人かの友人と、酒と、この本を書く約束ぐらいのものだ。

鈴木の家に着いたのは一時をまわっていた。家族を起こさぬように、またもや忍び足で二階の彼の部屋に上る。また本が増えている。何という量だろう。家の柱や梁《はり》が悲鳴をあげている。彼は仏文学をやっている。フランスに何年か行っていて、パリではセネガル人の大男に強姦《ごうかん》されて痔《じ》になった。スペインではジプシーの少女と寝て淋病《りんびょう》になった。アンフェタミン中毒になって、考え事をしていると、後ろで鏡が割れた。生きて帰ってきたものだから、僕らは大変に驚いた。パリに行く前の彼は、ひどいラリ公で、闇《やみ》のような詩ばかりを闇の中で書いた。彼はよく喫茶店でナイフやフォークを、ラリッて手首に突き立てようとしたので、僕たちはそれを取り上げるのにひと苦労だった。しかし、しまいにはスプーンで自殺しようとするので、そんな時は僕たちは大笑いしながら見ていた。今は、ジャック・リゴーに関する本を書いている。ジャック・リゴーというのは「存在した」人であって、書いたものはほとんど残していないので、鈴木の本も当然できあがらずにいる。（リゴーに関してはドリュ・ラ・ロシェルの「ゆらめく炎」というモデル小説があって、それを映画化したのが、ルイ・マルの「鬼火」である）

僕たちは、家出荷物の中からウィスキーを引っぱり出して、生《き》のままで飲んだ。ヨタ話、ヨタ話、ヨタ話で三時ごろにはヨタヨタになっている。

「満員の電車なんだが、一つだけ、ポッカリあいている席がある」

「フム……」

「男が乗ってきてその席を見つけ、座ろうとする。すると、回りの乗客がいっせいに『アーッ！』と叫ぶんや」

「フム……」

「男はビックリして、立ちあがる。しばらく不審そうに、その席を目で調べている。それから、回りの乗客の顔色をうかがう。しばらく考えているんだけど、やっぱりもう一度座ろうとする。と、乗客がまた、『アーッ！』」

「フム……」

「それが二、三回続く」

「フム」

「…………」

「それで？」

「いや、それだけ……」

鈴木はウィスキーをビクリと干すと、しばらく黙っていたが、僕の顔を見て、

「寝ようか」

と、呟《つぶや》いた。

十月四日（金）

随分と可愛《かわい》らしい音のする目覚ましだ。音色が透明だ。音色が透明なので、起きた途端にここが自分の家でないことに気づく。七時半である。夢を見ていたが、その話はよそう。人の見た夢の話は退屈だ。

煙草《たばこ》を点《とも》してボーッとしていると、壁の額の中からアントナン・アルトーが僕をにらみつけているのに気づく。とたんに僕は萎《な》えてしまう。萎えて、自分の愚劣さとくだらない饒舌《じょうぜつ》と朝の光のふところの中にぶら下がってしまう。僕は泊まる家をまちがえたようだ。広告屋はこんな所に泊めてもらってはいけない。広告屋は、とうとうランボーまで広告に引っぱり出してしまった。してはいけないことを、一人の人間がしてしまえば、それはもう、広告屋全員の責任だ。

僕は何とか立ち直ろうとする。なぜなら、今は朝だからだ。僕はこう考えてみようとする。確かに僕は広告屋で、アルトーに関して語る資格を持たない。しかし、針金の視線を持ち、ナイフを切り刻むナイフのように生きた、この男の肖像に正面から対峙《たいじ》できる人間が、果たして今、何人いるだろうか、と。多くの愚劣さの中にまぎれ込んでしまえば、踊ることができる。歩くこともできる。醜い顔の中に並んでいれば、自分の醜さで破裂してしまわずにすむ。さあ、踊れ、歩け、働け、笑え。ネジをまいてもらえ。ご同僚たちに。ついでにご同僚たちのネジもまいてさしあげろ。出て行け。街がそこにあるうちに。街が肩口に触れるうちに。患者たちの息が暖かいうちに。街へ。いますぐに。朝だから、今は。

今日から、歯を磨く必要がないことに僕は気がつく。昨夜、家を出る際に、歯ブラシと歯磨きチューブをバッグに放《ほう》り込んではある。僕は歯を磨くのが嫌いだ。それでも歯を磨くのは、歯医者がもっと嫌いだからだ。ついでに打ちあけると、僕は歯医者の息子だ。僕のオヤジは国鉄立花駅の前で貧乏人を相手に貧乏な歯医者をやっている。僕が小さい頃《ころ》、近所の菓子屋のじいさんがやって来て、歯を診てくれという。歯が二本しかない。その悪くない方の歯をオヤジは抜いてしまった。ジイさんはもちろん、今にもお迎えが来そうなくらいに怒った。オヤジは謝りに行くのに僕を連れていった。菓子屋へ、お詫《わ》びの印に菓子折をさげてだ。オヤジが歯医者になったのは自分が遺伝的に歯が悪かったからだ。おかげさまで、僕も上下三十二本のうちで、まともな歯が一本もない。それを見せたくないために、僕は大口をあけて笑うことができなくなった。口を閉じたままで笑う。すると、それは左の唇の端だけをひきつらせるような、歪《ゆが》んだ笑いになる。僕の笑い方が奇妙なのに皆が気づいたのはごく最近のことだ。僕はそれまであまり笑わなかったからだ。

　歯を磨いた後は気持ちがいい。風呂《ふろ》に入った後というのも気持ちがいい。耳を掃除するのも、爪《つめ》を切るのも、みんな気持ちがいい。しかし、それらが気持ちいいのは、煩雑な作業を終えたという、その成就感にカタルシスを覚えるのであって、やらずにすめばこんなに気持ちのいいことはない。自分の家なら、洗面台や風呂や、耳カキや、爪切りや、それら見慣れた召使いどもがこれ見よがしに自分の存在を誇示するのだろうが、今日からは旅の空だ。誰がこの腐った歯なんぞ磨いてやるものか。ハハハ。少し元気が出てきた。元気が一番だ。元気な人というのは白痴だ。白痴でないこましな連中はとっくの昔にサッパリと死んでしまっている。僕はまだ死ぬわけにはいかない。約束もたくさん残っているし、気持ちのいいことだってたまにはあるからだ。

　さて、この「書生さん」の部屋には、沈鬱《ちんうつ》な書籍どもがお互いの存在を主張して凄絶《せいぜつ》なるせめぎあいを演じている。三島由紀夫とＡ・Ｐ・マンディアルグが、稲垣足穂と高橋新吉が、Ｊ・Ｐ・ドンレビィとセリーヌとロレンス・ダレルとヘンリー・ミラーが、谷崎潤一郎と永井荷風が、泉鏡花と泉大八が、サドとサキが、ミシェル・レリスと柳田国男が、紫式部と清少納言が、フーコーとラカンと松岡正剛とチャンバラ・トリオが、バタイユとP・ソラヌが、至高と地獄おちが、吉田一穂と北原白秋が、ヘラクレイトスとエウリピデスと上田馬之助とハンス・シュミットが、意味と無意味が、浅田彰と「TARGET」が、ジム・モリスンとディラン・トマスが、ご近所と約束の地が、「あ」と「×」が、「私」と「何」が、マルコムXと「死」が、ブルトンとそのユダどもが、文学と文学屋が、ハンス・ベルメールと太田美子が、「ちっ」と「けっ」が、「君は誰だ」と「私が誰だ」が、アレルギーと映画が、音楽と後発性暗示が、犬と死んだ人が、死んだ犬と死にかけた豚が、言語と言葉が、詩と非詩が、抱きしめられた花嫁と義手が、マリアンヌ・フェイスフルと図書新聞が、青猫の請求書と義憤が、「私は哀しい」と「いつかね」が、そして膨大な「失われた書」のリストが。それらの全てをアルトーの肖像が睥睨《へいげい》している。この部屋には構造がある。なぜなら、書籍は位階に甘んじて縦に積まれ、僕らは床に寝ているからだ。

何だったっけ?

そうだ。僕は森山氏の絵にこの部屋で再会したのだ。天使の絵だ。森山氏はいつも入口を探している。(出口か。同じことだ)。TOPSで少し話をしたことがある。彼はその時、絵描《えか》きのくせに音楽をやっていて、店先でいじったシンセの音を録《と》って、それにいろんな会話やリズムマシンをペイントしたテープを作っていた。地獄みたいなロックだった。絵描きが皆ロックをやりだしたら大変なことになりそうだと、その時思った。ただし、連中はいつもキャンバスに描いている通りの音楽を作るだろう。森山氏のテープは違っていた。彼は見上げていた。天使の絵を描くことも、地獄みたいなロックを演《や》ることも、同じでなければいけない。「眼差《まなざ》し」の無い人には、地獄も、ましてや天空もわかりはしない。

「英語の教材用のエンドレステープにね、メビウスの輪みたいに、ワグナーをいれてみたんだよ」

と、森山氏は言った。喫茶店の一隅で。昔。今はイタリアに行ってしまったらしい。

とんでもない荷物だ。昨晩は車だったので気づかなかったけれど、容積にすれば、ほぼ僕の体ぐらいある。バッグの尻をケツの骨にひっかけて歩く。鈴木くんありがとう。僕はよく寝た。これからお城へ参る。

でっかいバッグをかついでビルの守衛室の前を通ると、守衛のおじさんが、

「旅行でっか？」

と尋ねた。

「いえ、商売道具ですよ」

と、ウソをつく。今日から会社に寝泊まりすることになるのだろうが、契約書を確認しておかないと、おおっぴらにして契約違反で追い出されたりしても困るのである。公園で寝るには、もう冷え込みがきつい。

昔はよく公園で眠った。神戸のフラワーロードの公園なんかは、おみごとなほと朗らかだ。朝になると市の公園課か何かのおじさんがホースで水を撒《ま》く。サッと虹《にじ》が小さくできて、植え込みの緑にふりかかる。その植え込みの中から、ゾロゾロゾロゾロ出てくるわ、出てくるわ、浮浪者、サラリーマン、フーテン、酔っ払い、学生、アベックと……こんな連中が青むくれした顔をボリボリかきながら、水に驚いて這《は》い出してくるのである。

京都の念仏根本《こんぽん》道場でもよく寝た。夜中になると、どこからともなくフーテンたちが集まってきては、寺の広い廊下で寝させてもらうのである。寺の床は高く、夏場でもヒンヤリとしてよく眠れる。不思議と蚊やブヨなどの虫も少ない。

ここの住職のご内儀はやさしい人で、薄汚い獅子舞《ししまい》のような頭をしたフーテンたちがゴロ寝していても何も言わないばかりか、朝が来れば雨戸をガラガラと引き開け、その音でも起きない連中には、一人一人、

「あんた、朝どっせ。お起きんなりはらんでもよろしおすんか?」

と、はんなりした京都弁で起こしてまわってくれるのである。僕たち礼儀正しいフーテンどもは「あんじょう」お礼を申し述べると、朝のコーヒーを飲みに、イノダかなんかへ歩き出すのだった。

もう何年前になるのだろう。腰までのばした髪で自分の「年季」を誇示しながら神戸や京都をのし歩いていたのは。

その頃の京都では、「村八分」が神話的な人気を誇っていた。ビートいっぱいで夕メの効いたリフと激しい踊りと、そしてマイクを蹴倒《けたお》して演奏を中断して帰ってしまうアグレッシブさが僕たちをシビレさせていた。

僕は、ダムハウスでそのギタリストの山口富士夫をまん前に見たことがある。彼は黒人とのハーフで、眉《まゆ》を剃《そ》りあげた大きな目の下に肺病やみのようなメイクをしていた。ケツの皮膚がカギ裂きから見える、おそろしくボロボロのジーンズをはいていた。

ダムハウスの机とか椅子《いす》は、コーラとかビールの空きケースで作ってある。トイレに立った山口富士夫は、まあ、何かキメていたのだろう、少しフラついた足でその空き箱の板を踏み抜いてしまった。抜けない。

何せ、当時の京都では神話的なカッコ良さを喧伝《けんでん》されているロッカーである。そいつが便所に立ったとたんに椅子板を踏み抜いて動けなくなってしまったのだ。みんな注目している。ピンチである。どうやって切り抜けるつもりだろう。他人事ながら、僕はハッとなって彼を見た。富士夫は、ゆっくりとした口調でこう言った。

「オイオイ、誰か何とかしてくれよ」

完璧なキメ方。どっかのスーパーバンドの誰かさんのような、頭脳とカリスマ性を備えたボーカリストの格好良さではなく、ヨタ者で、ギターひくしか能のないミュージシャンのみが持っている、ささくれた、すりきれた、しかしどこかに影のようなやさしさを含んだ「退屈」がそこにあった。

それ以来、僕は何がなんでもロッカーになることに決めたのである。決めたのだが、決めただけで、なれなかった。理由はたくさんある。練習が嫌いだったこと。鼻声だったこと。バンドをやっていく協調性と根気がなかったこと。人のコピーをしないのでテクがつかなかったこと。しかし、一番の原因は脚が短かったことである。

僕が飼ってもらっている会社は、大阪の肥後橋にある。社長は元ボクサーである。全日本学生チャンピオンで、世界戦でメキシコへ遠征して、そこでガテマラの黒人に敗《ま》けた。二段鼻と塩辛声と今では貴重品の侠気《きようき》を持っている。金は持っていない。ボクシングでは、パンチ・ドランカーになることを「頭が沸く」という。水を張った鍋《なべ》に豆腐をいれて、外から金槌《かなづち》でトントントントントン静かに叩《たた》いていくと、中の豆腐は直接さわらなくてもモロモロに崩れてしまう。そういう状態のオツムを「沸く」という。うちのボスは強かったので、あまり頭部を打たれなかったおかげで沸かずにすんでいるらしい。どれぐらい強いのかは一度この目で見たことがある。お初天神のあたりのビルのエレベーターの中で、でっかい男が執拗《しつよう》にからんできた。二秒ぐらいで全てが終わっていた。両手でガードしていたにもかかわらず、男の顔は「まっ赤なトマト」になっちゃっていた。強い男はうらやましい。ケンカが早くすむ。僕らのケンカはウダウダといつまでも終わらない。みっともない。一生続く。

会社は少人数だ。したがって、大手の広告代理店では細分化されている仕事のプロセスを、一から十まで自分でやることになる。まあ、舟を出して、魚を釣って、それをさばいて、盛りつけをして、客に運んで、勘定をもらうところまでやるようなものだ。

日中はほぼ得意先との打ち合わせかデスクワークになる。広告というと、すぐにCF撮りとかデザインとかを思い浮かべる人が多いようだが、広告代理業務のほぼ大半というのは、「買いつけ作業」である。テレビ、ラジオ局はその放送時間の中に、決められた枠で広告用の時間をキープしている。新聞社、雑誌社は紙面のスペースを持っている。それらを限られた予算の中でいかに多く、良い内容で買いつけるかというのが、広告代理店の基本的な作業だ。

例えば、企業から五百万円の予算でタワシのCMをテレビで打ちたいという注文が来る。代理店はテレビ局のもっている空枠の中からテレビスポットを買いつける。この場合、決め手は五百万円という枠の中で、スポットを何本買えるか、どれだけたくさんのG・R・P《グロスレイティングポイント》をとれるか、絵づらはどうか、ということのほぼ三つになる。

テレビのスポットというのはちょうどウナ丼《どん》に「松」「竹」「梅」とあるあの要領で、Aタイム、特Bタイム、Bタイム、Cタイムというランクにわけられている。夜のゴールデンタイムなどはAタイムで、スポット一本あたりの単価が高いかわりに視聴率も高い。(もちろん中にはひどい視聴率の番組もある。そういうのは三カ月で打ち切られたりする)。早朝の農家むけ番組や宗教番組などはCタイムで、視聴率はおしなべて低いが値段も安い。これらを取りまぜて何本買えるか、一本当りの単価がいくらになるかが問題になる。

同時に重要なのはG・R・Pである。これは五百万円で買いつけた、まあ仮に百本なら百本のスポットの視聴率の総合計である。番組はそれぞれの視聴率を、何%と調査によってはじき出されている。買ったスポットの視聴率の総合計がG・R・Pだから、これは数字が高いほど、タワシのCFがたくさんの人に見られているということになる。仮に五百万円で買った百本のスポットのG・R・Pが五千%だったとする。五百万円を五千で割る。千円。これが、一%の視聴率を買うにあたって企業がいくらの金を払ったかという数字だ。パー・コストという。したがって、これは安ければ安いほど「良い買物」ができたということになる。G・R・Pが低い場合は、いろいろな調整作業をしなければならない。例えば、あるスポットが五％の視聴率だったとすると、同じ値段のランクの中でも、十％ある番組の方へ移し変えてもらうとか、もっと視聴率のよい曜日に移動してもらうとかである。これは、代理店とテレビ局とのヒザ詰め談判だ。

最後に「絵づら」という問題がある。タワシを買う人というのは主婦である。子供とかお父さんは買わない。したがって、このスポット取りが子供向けのアニメのゾーンや、プロレス、ゴルフなどに集中していたら、G・R・Pが仮にいくら高くても実際にタワシを買ってくれる主婦たちはほとんどタワシのCFを見ていないことになる。金をドブに捨てることになる。したがってこの場合の「絵づら」は、ワイド・ショーや昼メロなどの主婦むけになっていないといけない。不適当な絵づらであれば、それを修正せねばならない。

これが買いつけ作業のあらましだ。もちろん、もっとややこしい要素や用語はごまんとある。C・P・M、リーチ、フリークェンシー、カウ・キャッチャー、ヒッチ・ハイク、ステ・ブレ、スリー・ヒッツ・ロー、ETC、ETC。みんな英語だ。だいたい、理論自体がアチラ製だから、用語も横文字だ。とにかくサラッピンのピカピカの理論や用語が津波のように東京湾めがけて打ちあげられてくる。毎年、毎月、いや、毎日と言った方が正しいだろう。その中のどこかに、タワシが売れる正しい方法が隠蔽《いんぺい》されているにちがいないのだ。タワシが売れれば、広告屋もまたもうかるので、かしこい正しい広告屋は日夜、横文字と格闘を続けているのだ。

「みてろ。日本中をタワシで埋め尽くしてみせるぞ！」

と、絶叫しながら。

「広告屋なんていっても所詮《しょせん》チンドン屋ですよ」

と、自嘲《じちょう》する人がよくいる。大あたりい！　まさにチンドン屋だ。電通のあの巨大なビルの奥には秘密の部屋がひとつあって、ドアをあけると、丹下左膳《たんげさぜん》の衣裳《いしょう》を着てタイコを抱えた男が一人、ヒッソリと何十年も座っている。彼こそは広告屋の本質である。本質というのは忘れ去られやすいので、彼はそこで誰の訪れもないままに逼塞《ひっそく》している。

大売出しをする商品がなければ、チンドン屋は成立しない。だから彼は影のような風《ふう》貌《ぼう》をしている。ただしこの影は実体を求めて膨張し続ける影だ。チンドン屋は転がり続ける。付加価値で途方もなく膨れあがりながら。

大手の広告代理店は、大手であればあるほど際限なく巨大化していく。それはもちろんスケール・メリットが相乗効果を呼んで、仕事が仕事を産むということも原因だろう。ただ、この半世紀というもの、広告屋は影のような存在から脱却するために、己れのレーゾン・デートルを求めて、なりふりかまわぬ手さぐりを続けてきた。その結果、広告屋は今では、ネーミングはおろか、新商品を作りだすこともやってのける。マスコミを操ってその商品むけの市場《マーケット》を蜃気楼《しんきろう》のように現出させることもできる。市場調査や情報収集などはお茶の子サイサイである。都市計画もやる。政治に影響を与えることさえ不可能ではない。また、広告屋は上等な金貸しでもある。テレビ局などのマス媒体の支払い条件は厳しい。企業は広告屋に手形で支払う。広告屋はマス媒体にキャッシュで払う。何十億という金をである。この手形がおちるまでの、利息にすればたいへんな金を負担し、広告屋は立替払いをするわけだ。場合によっては広告屋は、広告料金受け取りの長期保留という形で、企業に金を「貸す」ことさえある。チンドン屋は、影は、実体を見つけて今や立派なモンスターになった。

ところで、僕はここだけの話だが、広告が大嫌いである。その話はまたあとで。

夜が来た。みんな帰った。電話も鳴り止《や》んだ。……ケッ、また鳴りやがった。

「ハイ、モシモシ」

「いやあ、中島さん。おひさしぶり。ナイト・イン・ナイトだす。ちょっとも、みえんと、どないしたはりますのんな。社長、いてはる?」

「いや、本日は二日酔いで、はやめに退社しました。あんまり飲まさんとって下さいよ」

「キャー、何いうてんのんな、ちょっともみえはらんとからに！　よろしゅうゆうといとくんなはれな。中島さんもたまには寄ってや？　な、な！　ほな、ども、おおきに」

北新地の飲み屋の、ブッチャーおばさんだ。ご丁寧なことだ。ありがたいことだ。座っただけで二万円もとりやがって。この前、席に尻をおろさずに、ずっと中腰で飲んでたんだが、それでも一万円とられた。（注・これはウソである。しかし、金銭の受渡《うけわたし》関係のはざまに、こういうジョークが介在する余地がないというのは哀しいことだ。そういえば、何年か前、天王寺の野外音楽堂でパンクのイベントを見て、あまりつまらないので、リザードが演り始めた時に会場を抜け出し、立呑《たちの》みで飲んだことがあった。天王寺、新世界の立呑みというのは、けっこうすさまじい。僕がゆっくりと飲んでいると、右にスッと人影が現れ、百円玉を二枚、パシッとカウンターに叩きつける。

「さけ……」

僕が、鯨のベーコンか何かをしがんでいて、三、四秒して、ふっと右を見ると件《くだん》のご仁はもう影も形もあとかたすらもない。酒の一合を、台上にパシッと叩きつける二百円で買って、寸秒で飲み干し、顔の見分けもつかないうちに店を出る。これが新世界のやりかたなのだ。

今度は左に人影がくる。パシッ。二百円。二、三秒。またいない。何か手品を見ているようだ。

そのうち、向うで店のおっさんと客がもめはじめた。

「六百八十円は、わかってるがな。さっき千円はろたやんけ」

「いや、もろとらへん！」

「はろたがな、千円」

「いいやっ！　もろとらへん」

「ハハハ、こわい顔して、おっさん。冗談やがな、冗談。ほら、千円。な？」

「……あのな、ロクちゃん。ジェニカネのことだけはな、冗談っちゅうのは通じへんのじゃいっ！　あんじょうおぼえとけ。このあほんだらっ！」

ロクちゃんはオヤジの剣幕にとまどいながらも、周囲にテレかくしの笑いをふりまいて去って行った。これが、ジョークの介在しない金の受け渡しの、僕が見た典型である。

この人たちは、おおむね無気力である。初めて新世界を訪れる人が、よく恐れるような暴力性は持ち合わせていない。彼等《ら》は電信柱から電信柱へと、その距離を辿《たど》り着くのが精一杯なほどに消耗している。そして、その電信柱ごとに立呑み屋が待ち構えている。彼等は二百円をポケットから探り出して払う。そして、百八十ccの液体を寸時に飲み干して、店を出る。次の電信柱をめがけて……。

天王寺で唐十郎の芝居を見た時のことだ。あの広大な変ちくりんな公園をトモコちゃんと僕は歩いていた。芝の上に、車座になって談笑しているサラリーマンとOLたち、芝居めあてのとんでもない格好をした若者たち。そして浮浪者たち。

前から浮浪者のおばはんが歩いてくる。トモコちゃんの横を過ぎ抜ける。とたんに、

「キャッ！」

と、トモコちゃんが叫んだ。

「あ、あのおばさん、私のオッパイさわって行った……」

「エ？　おばさんが？　何で……」

完全に錯乱してしまった僕たちを眺めながら、かたわらで風車の屋台を展《ひろ》げているオッチャンが、カラカラと笑って言った。

「あのおばはんはな、若い娘《こ》みると、いっつもやるんや、あれ」

ようやく、しばしの錯乱から立ち戻った僕たちは、またこの奇妙な公園の中に歩を進める。

前からまた変なのが来た。板前である。まっ白な仕事着に黒いゴム長をはいている。そいつが緑色のでっかいプラスチックのザルを持っていて、

「ホッ」

と言ってはそれをかぶり、

「ホッ」

と言ってはそれをはずし、また、

「ホッ」

と言ってはかぶり、

「ホッ」

と言ってははずし、そうやって、カクッ、カクッ、という感じで我々に近づいて来るのである。

「何、あれ……」

と、トモコちゃんは血の気の失《う》せた顔でいった。おびえた少女の顔というのは、セクシーだ。

都合上、なかなか行けないのだけれど、それ以来僕は新世界に投げキッスとシャブ電波を送り続けている）

という長いカッコにくくられた新世界と、かんだ鼻紙のカタマリと、不要になった書類と、消しゴムカスをまとめてゴミ箱に放り込むと、僕はロッカーの上に安置した家出用バッグの中から、ウィスキーのビンをひっこぬいた。それから、毛布を引っ張り出すと、応接用のソファの上にそれを敷き、「巣」を作った。氷とグラスとウィスキーを小机の上に置く。ＴＶをつける。（僕の会社は、商売柄、オフィスにＴＶがあるのだ）。アルフィーが歌っている。ウィスキーを飲む。小泉今日子が歌っている。ウィスキーを飲む。松田女史が歌っている。ウィスキーを飲む。マッチさんが腰をふって踊っている。ウィスキーを飲む。音を消してTVを見るのは面白い。

十時前になる。TVと部屋の電気を消す。守衛さんがまわってくる時間なのだ。案の定、しばらくすると、コツ、コツという足音が廊下に響いてくる。ガチャガチャ、ガチャガチャ、と各部屋の鍵《かぎ》を確かめて歩いている。共同炊事場のガスを点検する。そして、また、コツ、コツと廊下を戻って行く。僕は、息をひそめている。ソファの上で。足音が廊下の果てからエレベーターの中へと吸い込まれていく。ビュオッという降下音。

「やった。まいった」

僕は部屋の灯りを点《つ》け、ウィスキーを飲み直し始める。

さあ、始めよう。とりあえず、今から夜明けまでの何時間かは完全に僕のものだ。社長のものでもなければ配偶者（ご家族）のものでもない。

書ける。本が書ける。誰にも邪魔されずに、ただ、何を書くかということは何もまだ決めていない。でも僕は知っている、こういう時は、まず書き始めることだ。体裁はあとから整えればいい。題名《タイトル》は一番最後。これは音楽のやり方だ。まず、絃《げん》を弾いてみることだ。そうすれば、リズムも、和音も、それにひっついて出てくる。ただし、良い、まずい、は別の話だ。

「さて……」

と、毛布にくるまりながら、僕は呟いた。ソファの長さが短すぎて、足首から先がピョコンと飛び出している。少し寒い。

「さて……」

もう一度呟くと、僕はそれから朝までグッスリと眠った。

十月五日（土）

形を整えられた肉屋のチキンのような格好で目覚める。手足が、「おっちん」したまま毛布にくるまっている。ムムムッと伸びをする。アクビを二つ、屁《へ》を一つする。窓をあける。湯を沸かす。七時だ。窓から通りを眺める。早出のサラリーマンたちがトボトボと歩いている。何だか、誰かとてつもなくえらい人が死んだ朝の風景のようだ。全てが力と光を失っている。暗い朝の風景。ガンバレ、サラリーマン！　おっと、サングラスをかけたまま眠っていた。どうりで風景が暗いはずだ。一階へ、郵便受けへ新聞をとりに行く。守衛さんにあう。

「昨日、泊まりはったんでっか」

と言われる。みんなばれている。息をころしていた、ソファの上の四一秒間の努力が「わや」になる。

本日は当社は休みである。誰も来ない。GパンとTシャツ姿でオフィスにいるのは、小さなタブーを犯しているようで小気味がいい。普段は僕は背広を着てネクタイをしている。いちいち選ぶのが面倒なので、ネクタイはこの一年間、義弟の仁川学院のときの制服のネクタイ二本で通している。夏は紺、冬はれんが色のやつだ。結局、こんなもの、ぶら下がってさえいりゃあ何でもいいんで、ましてや首吊《っ》りの役にでもたてば申し分ない。

「私の家はね、あの平賀源内の血をひいているんですよ」

「ほう！」

「ああ……。平賀源内が今、生きていたらなあ……」

「？」

「……すっごく、年寄りでしょうね」

「…………」

「ね？」

「…………」

突然で申し訳ないが、本日は、明るいうちは、コントを十本考える。夜は、元ＥＰ―４のＳＯＵのコンサートを聞きに行くご予定だ。

寝っころがって考える前に、コント制作の心がまえを復唱する。

❶コントの使命は人を笑わすことにあります。笑いによって人々にカタルシスを与え、明日のためのリフレッシュメントに役立てるという、大きな社会的意義を持っています。したがって、私がコントを作る場合は、できるだけ面白くない、いやな後味の残る、笑えないコントを心がけ、コントを十本いくらでお買上げいただくTV局や、ご覧になる視聴者の皆様にイヤガラセをすることを忘れないようにしましょう。

❷面白くないコントを作るための心構えは「できるだけ面白いコントを作ってやろう」と努めることです。そうすれば必ず失敗して面白くないものを作ることができます。

❸面白くないコントを書くためには、状態を整えておくことが大切です。寝不足ぎみの、神経のきり立った頭はいけません。「疲労は私の興奮剤である」というA・ミショーの言葉を思い起こして下さい。頭はつねに、寝すぎたときのボワァンとした状態に保ちましょう。そのためにも「睡眠を充分にとる」のは大切なことです。

また、歩いているときや、電車に乗っているときなど、一定のリズムで体が動いているときには、とんでもない面白い発想が出てしまうことがあります。注意しましょう。

❹何を言っても聞いても可笑《おか》しくて笑い転げてしまう、徹夜あけの状態と、
「昨日は何があんなに可笑しかったんだろう?」

という、次の日の状態との落差を考えてみましょう。ここに、面白くないコントを書く秘訣《ひけつ》があるのです。なぜなら、この落差はそのまま、面白くないコントを書く側とそ

れを見させられる側の関係にあてはまるからです。「裸のラリーズ」と、その演奏をシラフで聞いている聴衆にも同じことが言えます。

面白くないコントを書くためには、何を聞いても可笑しい徹夜明けの状態に頭を置いてみることも一つの方法です。そのためには、サーファーとつきあって、ハッシッシを売ってもらうのも手でしょう。パクられたりすれば何の努力もせずに「有名」になることもできます。

❺コントや四コマ・マンガには「起・承・転・結」または「序・破・急」という鉄則があります。面白くないコントを書くためには、この鉄則を遵守しなければなりません。なぜなら、形式の完璧さこそが内容の空疎を鋭く浮き上がらせてくれるからです。

では、以上の原則をなるべく守りながら、制作にとりかかろう。その前に、昼のウィスキーを飲もう。まず、してはいけないことをするところから「する」という行為が成り立ち得るのだ。この意味をわかりやすく唄《うた》で示すと、

♪船は出て行く　殺意は残る
おなごの服を　着せられて♪

と、いうことになる。ワッ、昼のウィスキーは酔いが早い。何じゃ、この唄は。ザシキワラシみたいに頭のフスマの奥から出てきおった。

試作品❶

終電車。終点近く。ガランとした車輌《しゃりょう》の中に、たった一人、小林克也のサラリーマンが眠りこけている。胸から何か小さな白いフダがぶら下がっている。カメラ寄る。札に、『返品』の文字。

試作品❷

路上。町田町蔵がマッチで耳をほじくっている。そこへジョン・ウェインとスティーブ・マックィーンがやって来て、

「こら、そこの小僧！　マッチなんかで耳をほじっていると、薬品のせいでガンになるぞっ！」

と英語で言う。英語のわからぬ町田町蔵はたまたま居合わせた、英語に堪能な景山民

夫氏に訳してもらう。青くなった町田町蔵は、どこかへ走り去る。

薬局。現れた町田町蔵は、できるだけ感情を押し殺した声で、

「メンボウ……」

と呟く。店主の茶川一郎は冷たく、

「あ、メンボウ。切らしてますねん」

と言う。うつむく町田町蔵。


何十年か後、病院の一室。耳ガンで臨終の町田町蔵。かたわらでそれを無言で看《み》とるジョン・ウェインとスティーブ・マックィーンの半透明の微笑《ほほえ》み。

試作品❸

坊主が山道を駆けおりてくる。もの凄《すご》い勢いである。段々畑で野良をしていた百姓が、

「あれ、おしょさま。そげに急いでどごさ行ぐだ」

と尋ねる。坊主は走り抜けながら、

「わしは、急がねばならんのじゃあ!」

と絶叫しつつ、長い一本道を走って行く。その行く先に大名行列が向って来る。そこ

で画面に金文字のタイトル、

『走る坊主』

試作品❹

横からみると『やまいだれ』の形をした髪の男が立っている。前から『うかんむり』にセットした男がやって来る。二人は故意にお互いを無視するのであった。

試作品❺

ヤクザの事務所。子分の文太が親分にスゴんでみせている。

「組長じゃ、組長じゃっちゅうて、なんなら。あんたら、言うたらミコシじゃない。ミコシは誰がカツぐんね！」

「ワ、ワシは……」

「なんなら……」

「ワ、ワシは……、お祭りが好きだっ！」

「………」

……五つできた。そのうち制作不可能なものが三つ、面白くなさすぎるのが五つ、公序良俗を乱すものが一つもなくて、それはとりもなおさず僕の本日の「絶不調」をあらわしている。役に立たないアタマ……。蟻《あり》がどこかに巣を作っている。頭の中がかゆい。役に立たないうえに、パチキも弱い。

……………………………………

……………………………………

……………………………………。

「前略

雑誌でなつかしい名前が目に止まり、いろんなことを思い出してたまらずペンをとってしまいました。お元気そうな様子が文章の間から目に浮かびます。考えると貴男《あなた》はいつでも元気でした。十年前も今も、ついていないときも大嵐《あらし》のときも、いつでも元気でした。どこを切っても金太郎みたいに元気でした。今、思うとわたしたちがうまくいかなかったのはその元気のせいじゃなかったでしょうか。貴男は全てを人より余分に持っています。強さ、賢さ、優しさ、そして弱さ、愚かさ、残酷さ。そんなものを全部、人より少しずつ多めに持っています。その過剰のなかにいると、わたしはすり減ってしまうのです。月のように欠けていきます。最初ヌードで、使ううちにガイ骨の見えてくる石鹸《せっけん》のようにみじめに。それを防ぐためには、わたしは静かにしていなければならなかった。空気も動かないような部屋の中で。なのに貴男はわたしを引っ張りまわしましたね。あのうるさい街、毎晩の乱痴気騒ぎ、喧嘩《けんか》、裏切り、万引き、クスリ、セックス、永遠に続くお祭り。わたしには耐えられないものの全ての中へ貴男はわたしを放り込みました。でも、手だけはいつも握っていてくれましたね。

『大丈夫。だいじょうぶだから』

と言うのが貴男の口癖でした。結果はいつでも、大丈夫じゃなかった。わたしにとっての街の印象は、パトカーと救急車のたてるけたたましいサイレンです。貴男はいつでもそれらに乗せられて、どこか知らない所へ運ばれて行ってしまった。わたしはいつもとり残された。街に。貴男の『親友』たちと……。わたしが彼らと寝たのはべつに淋《さび》しかったからではありません。貴男はいつでも大事なときにいなかったし、それにあの人たちは貴男よりも静かでしたし。どうか、もう誰をもせめないでください。わたしを、友だちを、自分を。貴男には力が余りすぎです。もうこわれてしまっているものを、それ以上こわす必要はないと思います。ひとつの季節が終わって、それをひきもどすすべがないなら、新しい季節にたちむかうより仕方ないでしょう。誰にも逃げることはできません。貴男がいつも鼻で歌っていたドアーズの歌を思い出します。

夏が逝《い》ってしまう
夏が逝ってしまう

夜がくれば　僕らは
泳ぎ
笑い
歌ったもの

夏が去ったとき
僕らはどこにいればいいのだろう
（"Summer's almost gone" The Doorsより）

忙しいときに昔のことをクドクドと書いてごめんなさい。季節が移れば全てが変わっていきます。わたしが言いたいのは、わたしはもう〝大丈夫〟ということです。今、小さなプロダクションで毎日カタログの版下を作っています。お芝居のことはあきらめました。来年、たぶん結婚すると思います。

ヨシミ」

何という女だ。自分で勝手に悩んで、勝手に連中と寝まくって、僕がそれについて一言もいわないうちに勝手に自己嫌悪になって、勝手に東京へトンズラしたくせに。やっと忘れられそうになった頃に勝手な手紙をよこしやがって。一人で自分をズタズタにして、バラバラになってどこかへふっ飛んでったくせに、何が〝わたしは大丈夫〟だ。僕は全然大丈夫なんかじゃない。僕のどこが〝どこを切っても金太郎みたいに元気〟なんだ。僕のどこが元気なんだ。嘘《うそ》だと思ったら今すぐここへ来て僕を見てみろ。今すぐここへ来てくれ。顔を見せてくれ。

ほんとに何という女だ……。

土曜日の大阪は気の遠くなりそうな人混みだ。それも平日のサラリーマン層がガタッと減って、若い連中のファッションで原色の洪水が溢《あふ》れ出している。目がチカチカする。僕は黒いセーターにジーパンをはいて、人混みと先のパコパコあいたブーツに難渋しながら歩いている。裏道、裏道を選んではやっと太融寺に辿り着く。ここは、ソープランド、ラブホテル、ピンサロ、ジカ引き、等々、この世のありとあらゆる怪しげなものの集約によってでっち上げられている。ここのドブは精液で白く濁っている。

「ハイお兄ちゃん、どう、二千円、ええ子おるよ」

やかましい！　人が千円しか持ってないのを知ってて声かけてんのか？　この幽霊野郎、墓ん中でウジ虫と話でもしてやがれ。

実際、ここいらは昔、太融寺の寺領で広大な墓場と刑場のあった所である。幽霊なんぞゴロゴロしている。地中は骨で一杯だ。そんな上にソープランドやラブホテルがギッシリと建っている。タクアンの重しみたいに。極道の事務所もごまんとある。連れ込みホテルの窓からイッパツ終わった虚脱の目をおとすと、走り去るサラリーマンと追っかけるチンピラの好レースが見れるときもある。殺しもある。オカマもいる。みんながお骨の上を逃げまくり、撲りまくり、吐きまくり、殺しまくり、盗みまくり、犯《や》りまくり、吠《ほ》えまくり、泣きまくり、嘲笑《わら》いまくり、死にまくる。みんな祟《たた》られている。ただし幽霊にではない。この人の海を見ればわかる。圧倒的なこのガラクタどもの数量《マス》。一人一人に取り憑《つ》いているヒマなど、とてもじゃないがないだろう。この数量《マス》の前で、いまや亡霊は「亡霊のように」稀薄《きはく》になってしまった。それでも僕らは祟られている。何にだろう。知るもんか、どうでもいいことだ。僕らは唾《つば》を吐き、立ち小便をし、撲りあいをおっぱじめる。血、涙、唾液《だえき》、小便、精液を大地に叩きつける。多分、便所の神様の祟りか何かだろう。

「きれいは汚い。汚いはきれい。

きれいは汚い。汚いはきれい」

僕とSOUはその年、完璧な失業者だった。僕は印刷屋をやめてブラブラしていたし、SOUもEP―4をやめて何をする気もなかった。仮に彼にピアノの仕事がきても、受けなかっただろう。弾けないのだ。長年続けた睡眠薬のせいで手が震えてとまらないのだ。

「何弾いてもトレモロになっちゃうぜ」

と苦笑いするのを見て、僕は大笑いしたものだ。彼はよく、親の留守をねらっては実家に忍び込み、現金を盗み出すか、それがないときは骨董《こっとう》を持ち出して金にかえるのだった。

「勘当されてるからって、ええ加減にしといた方がええで」

とたしなめると、彼は、

「やってることは同じなんだよ。他人の家に入らないだけマシじゃないか」

と反論し、結局二人してその金で飲みに行くのだった。この薄汚れた太融寺の界隈《かいわい》は、僕らの吐いた唾でベトベトになった。

ある夜、二時頃だったろうか、ねぐらを探さねばならなくなって、この辺りでは一番大きくて安いビジネスホテルに飛び込んだ。あいにく満室だ。サウナに行こうか、公園で寝ようか、話しあっているところへ、小男が一人スーッと近寄ってくる。

「ね、君たち、困ってんじゃないの？」

流暢《りゅうちょう》な東京弁。風体はと見ると、よく競馬場にいるような鳥打帽の兄ちゃんである。

「よかったらさ、僕の友人が朝の九時まで帰ってこないもんで、空いてる部屋がひとつあるんだよ。三千円で貸したげるけど、どう？」

僕とSOUは顔を見合わせた。どう見てもこいつはチンピラだ。関わるとロクなことはないに決まってる。ややこしいことが起こりそうだ。ややこしい、ややこしいことが……。

「その部屋、見せてもらえますか？」

SOUが嬉《うれ》しそうに言った。ホラ来た、と僕は思った。こいつは、ややこしいことには目がないんだから。

男に案内されて、その空室を見る。何の変テツもない部屋だ。せまい空間の中でポツンと無機的に白いシングルベッドが哀しげな。僕はSOUに目で合図する。

〝ボチボチ退散〟

SOUの目がうなずく。

「あの……。やっぱりサウナに泊まるよ」

「どうして？　泊まってきゃいいじゃない。安くしたげてるし、風呂だってついてるよ。きれいな部屋だしさ」

「いや、僕らね、サウナやったらタダ券持ってるんですよ。金、あんまりないから、明日の朝、コーヒーぐらい飲みたいしね」

「そうか……。じゃ、仕方ないよね」

男は意外にアッサリとあきらめたようだったが、すぐについと顔を上げて、

「でもさ、兄さんたち、すっげえ疲れてるみたいじゃん。どう、僕の部屋に来ない？　元気つくやつ、あるから」

〝来たっ！　来たでぇ〟やくざな夜のほころび目の前に、僕とSOUは立ちつくしている。シャブ売りだ、こいつは。たいへんにややこしいことになってきた。僕はSOUを見た。ややこしいことに出会えた嬉びを隠すために、顔がこわばっている。これはやばい！

鳥打帽の小男の部屋に行く。造りは同じだ。ただ、ベッドのサイドボードの上に水を満たしたガラスコップが置いてあって、その中に注射器が一本、突っ込まれている。男

は引き出しから消しゴムぐらいの大きさの薄手のビニール袋をひとつ取り出した。除湿剤のような、透明な結晶が入っている。注射器を取り出したコップの水を捨て、そこに二分目くらい水を足して結晶を加える。袋に残った分は、切り口をライターで熱して密着させ、また引き出しの中にしまいこむ。結晶の沈澱したコップの底を加熱する。結晶はスルスルとほどけていき、やがてすっかりなくなってしまう。

「僕、今日は朝から四回目なんだよね」

呟きながら男は腕をまくり上げ、注射器をあてる。ヒジの内側の皮膚は、ところどころ変色して角質化している。男は腕の根元を片手でおさえて、てのひらを何度も握りしめ、血管を浮きたたせる。腕の根元を持っててくれと僕に言う。僕はピョコンと立ちあがり、言われるとおりに、ギュッと彼の腕の根をしめつける。血管が青黒く浮いてくる。そこに男は針をつきたてる。血管がスルッと逃げる。針の先が皮膚の内側で、逃げた血管を追っているのが、外からよくわかる。突く。また逃げる。

「おっかしいなあ。調子悪いなあ。…………あ、そうか、針が古いんだな、きっと」

男は新しい針を出してきて付けかえると、再度挑戦する。今度はスッと入ったようだ。注射器の中に黒い血が逆流し、男はその赤黒い液体を静かに注入し、また吸い上げ、注入し、また吸いあげ、うっとりとした表情でポンピングを始める。終わったようだ。

「よし、君たちにもうってあげる」

ヌッと注射器が僕の顔の前に突き出される。思わず後ろに退って、

「い、いいですよ。ケッコーです！」

「どうして？　タダでいいよ。最初だから。次からはね、一回うちだと三千円、袋買ってくれるなら一万円にしといたげるよ」

「い、いや。いいんです。そういう……」

「バッカだなぁ、君たち。これやってたら仕事なんていっくらでもできるし、セックスだって最高なんだぜ。この溶液をね、チンポコに塗るんだよ。よしっ、見せてあげよう」

男の目の輝きが強くなり始め、動きがソワソワしはじめた。効いてきているようだ。

男は止める僕らをふりきってジッパーをさげると自分のモノを取り出した。……ひどく小さい。

「アッ！　君、いま僕のコレ、小さいと思ってるでしょ。ハッハッハ。僕のはね、『チョーチンマラ』っていってね。このシャブさえつければ何倍にでも膨れあがってね、女がヒィヒィいう……」

男はしゃべりながらSサイズのそれにシャブの水溶液を塗りつけ、一生懸命しごき始めた。僕とSOUは仕方なしにそれを眺めているのだが、いつまでたってもそれは大きくなる気配も見せない。

「おっかしいなあ、おっかしいなあ」

といいながら男はしごき続けている。どちらかと言うと、おかしいのはこっちの方だが。


男は東京から流れてきた。ワケがあって関東にはいられなくなったのだ。ビジネスホテルの一室に虫のように隠れて暮している。外出はなるべくしない。やばいことになるのだろう。資金源は、シャブと、ゲーム機の底を抜いて金を盗むことと、女である。

僕とSOUは、シャブの常用作用で部屋の中を歩きまわり始めたこの男に別れを告げると、走るようにホテルを出た。街はまだ断末魔の絶叫に満たされて鳴りひびいている。

男と別れる前にSOUが尋ねた。

「でも、兄さん、僕らみたいに初対面の人間にいきなりシャブの話して、やばいんじゃないの。そんな無用心なことしてたらパクられるよ、そのうち」

男は一、二秒考えてから、キッパリと言ってのけた。

「そんなもの、わかるよ。君たちの顔見てたら」

僕らが一体どんな顔をしてたというのだろう。この墓場の上におったった巨大な墓石の中で。

「きれいは汚い。汚いはきれい。

　きれいは汚い。汚いはきれい」

　SOUのコンサートにはまだ間がある。僕はメニューにカツドンでものってそうなロココ風「純喫茶」に入って、ビールを飲みながらヨシミに返事を書く。

「前略
　君があれほど憎んでいた街の唸《うな》りの中で手紙を書いています。となりの席では、どっかのキャバレーのおばはんが『女の仁義』についてわめき散らしています。僕は今でもこれらの雑駁《ざっぱく》な喧騒の中で共鳴《ともな》りを続けています。山の上の寒気の中で君を胸の中に包み込んだあのオンボロのコートもそのまま着続けています。口笛もやっぱり吹けないままです。僕はあの時のまま、君が呟いた『バカ……』のままです。でもたしかに君の言うように、季節が移っていく。関係も転化していく。その中で僕も君も変わっていくでしょう。時の激しい石つぶての嵐に、僕たちの相貌も取り返しようもなく崩れていくことでしょう。ただし、それが何だというのだ、と僕は言いたいのです。なぜなら、僕にはいつでも『想《おも》い』があるからです。それはあの山のてっぺんで、君と僕の、唇と唇がふれあった一瞬の想い。そして、それが瞬間の中で永遠を孕《はら》み、世界が無音の音楽に満たされたあの一瞬の断面。その法悦の残像が僕の言う『想い』であり、こいつがあるから、僕は何とか明日までやっていけるのです。それ以外のことはほとんど僕にとってはどうでもいいことなのです。

『詩は歴史性に対して垂直に立つ』

という稲垣足穂の至言を思い出してください。たぶん僕たちは図式どおりにやっただけなのでしょう。恋愛の至高の瞬間から日常へ、詩から散文への地獄下りのコースを。公園で老人たちが一斉に立ちあがります。『ヨイショッ！』といって。あの時の杖《つえ》が、『想《おも》い』です。僕は君が思うほど元気でも強靭《きょうじん》でもありません。そんな奴《やつ》がいたら、そいつは気狂いです。僕はガスのように稀薄で不安定です。だからそれを封じ込める容れ物がいるのです。それはモラルであったり、破戒であったり、ダンディズムであったり、無感動《アパシー》であったりします。正直に言って、夏が終わればどこにいればいいのか、僕には今だにわからない。とっくに夏が終わった今でも。

ヨシミへ

P・S　僕は五年前に結婚しました。それから何が起こったのか、今だによくわかりません」

街の中の角という角、店という店、電柱という電柱に彼女の思い出が貼《は》りついている。僕にはいつ、どの角で、彼女が何を言ったかということまで反芻《はんすう》することができる。小さな身体《からだ》、短い髪、生意気な物言い。照れくさそうなセックス。奪い去ることへの逡《しゅん》巡《じゅん》、喪失への怖《おそ》れ、薄命な夏々。

「おっ、すげえタイミングだな。乾電池買ってきてくれ。たのむ」

SOUは、シールド線の渦の中でやたらめったらジャックをあっちこっちに突っ込みながら、暗い舞台《ステージ》の上から叫んだ。僕は大声で笑ってしまった。ステージには生ピアノが一台と電気ピアノが一台、シーケンサーにポリフォニックのシンセが二台、メロトロンらしきものとオモチャのピアノ、パーカッション一式、エフェクターのボックスが五、六個、足の踏み場もない。

「オヤジが死んで、遺産でも入ったんか。何やこの装置は。ついでにミッチ・ミラー合唱団も呼んどいたらどうや」

「オーイ、モリワキ君。そっちの二番目の電源みてくれ。ちゃんと入ってるかい？」

「ハーイ、入ってます」

「おっかしいなあ、なんで音が出ねえんだろう。おっかしいなあ」

「SOUさん、スピーカーのスイッチ入ってますか？」

「あっ……。ごめんごめん、モリワキ君、ごめん」


プッ。ププッ。ブィイーン。


「フフ。快調だ」

　SOUが長身をユラユラさせながらステージから降りてきた。

「乾電池が何やて？」

「あっそうだった。ディストーションに入れといたのが切れちゃったんだよ。水ふいてくさって。な、頼むよ、人手がないんだよ」

「ええけど、乾電池って何屋で売ってるんや。この辺りに電器屋なんかないで」

「乾電池はね、クスリ屋で売ってると思うよ。あっ、クスリ屋へいったらね、ついでにセキ止めのシロップ買ってきて。コデインとエフェドリンの入ったやつ」

「金！」

「あ、ああ……」

「何が『あ、ああ……』じゃ。この糞虫《スカラベ》！」

SOUから二千円をせしめると、僕はそのまま近所の立呑み屋へ走り、イカの丸焼きで酒を四杯飲み、帰りにロングピースを二箱買った。それでもSOUの金は二百円あまった。

会場にもどるともう演奏は始まっていた。フランスの声優が朗読する、シャガレ声のボードレールが場内に流れ、それを追うように、絡むように、追い抜くようにSOUの生ピアノが静かに織られている。お客は全部で十五、六人ほどか。ボードレールが終わると、SOUはエリック・サティを数曲弾き始める。ところどころトレモロになる。指の震えがまだ完全には治っていないらしい。最後に自作の「夜のために」を演奏して、この日のコンサートは終わった。シーケンサーやシンセは結局使わずじまいだった。べつに僕のせいではない。

「らもさんですか？」

帰りの踊り場でふいに呼ばれた。僕は一人で帰るところだった。SOUと帰ってもよかったのだが、コンサートの後の彼はいつも生皮をはがれたように、神経がむき出しになってしまう。そしておっぱじまるケンカに参加する元気が今夜の僕にはない。乾電池の件もある。僕はネズミのはしっこさでトンズラをきめるところだった。

ゆっくりと見上げると、一階の手すりから、小さな顔がのぞき込んでいる。

「そうですけど」

「キャ」

小さく叫ぶとその子はトントン階段を降りてきた。二十一、二だろうか。リスみたいな顔立ちを少年のように切りそろえた髪がふちどっている。これ以上ないくらいダブダブのルーズフィットのパンツをピンクのサスペンダーがかろうじて引っぱり上げている。

「いっつも読んでます。広告。おもしろいから」

「好き?」

「だい好きよ」

「フーン、悪趣味なんや」

鼻の下を手でこすり、す早く鼻クソがついてないかどうかを確認しつつ、へらず口をたたく。こういう場合、一番すべてを台なしにするのは鼻毛およびその附着物だ。坊主の説法屁一発、百年の恋もさめて、一生後悔に苦しむことになる。ましてや僕は出奔の身で、しかも、エーと、ポケットを探ると八百円しか持っていない。失敗は絶対に許されないのだ。キティちゃんの縫いぐるみのあるベッドで、朝メシの匂いに目覚めるか、会社のオフィスで朝の冷え込みにうなされて起きるか、ここ一番の勝負どきなのだ。

「広告の仕事してるの?」

「ぜーんぜん。売り子さんです。あたし」

「SOUのファンなの？」

「EP－4のときから見てたの。カッコいいもの。見ました？　京都の磔磔《たくたく》で、銀行強盗みたいな覆面して」

「ああ、あのとき僕もいた。いたけど、酔ってたからあんまり覚えてない。何かいがらっぽい感じのギグやったね。今日はだめやけど、今度紹介したげるよ」

「え！　知り合いなんですか？」

「古い知り合い。昔、この辺のクラブで一緒にバンドのアルバイトしてたこともあるんや。でもね、今晩はちょっとまずいの。会ったらケンカになるから」

「何かあったんですか？」

「ウン、ちょっとね……金貸してて、あいつ返さへんもんやから」

「へえ、いくらぐらいなの？」

「ウーン、二十万ぐらいかな。ヘロイン代の立て替え」

「エーッ、うそみたい」

「もう帰るの？」

「帰るとこ」

「ひとり？」

「ひとり」

「お茶飲んで帰る？」

「いいんですか？」

「何が？」

彼女はヒロミという名で、地下鉄の売店の売り子をしている。毎日が退屈のかたまりなので、コピーライターの勉強でもしようかと思って、この春から養成講座に通っているという。僕が、コピーライターというのは、要するに文章が書けなくて、目はしだけがきく人間のやる腐った商売だ、と言うと、ヒロミは、あたしは文章が書けなくて目はしもきいてててその上クサッてる、と答えた。僕はだんだん親身になってきて、彼女を翻意させようとしはじめる。

「だって、金だってもうからないし、何もいいことなんかないよ」

「ウソ！　もうかってるくせに」

僕は裏返された喫茶店の伝票の上に、全財産をぶちまける。ジャラジャラジャラ。

「ほら、残金八百円。おまけに今晩泊まるところがない。どうや!?」

「…………」

ヒロミはまだ半信半疑だ。可愛い眉をくもらせて僕の目をのぞいている。僕は裏返された伝票の上に手を置いて言う。

「この伝票がもし、六百五十円以上してたら、会社へ帰る地下鉄代がない。六百五十円以上だったら君のところへ泊めてくれる？」

「………。お茶代ぐらい払うよ」

「バカモノッ！　誰がそんなこと言った。一銭もなくったって、やってく方法ぐらい僕は知ってる。問題は君がこの賭《か》けにのるかどうかということや」

「何か、ワナにはまったみたい……」

「今ごろ気がついても遅い。どうする？」

「いいよ。のるよ」

ヒロミは舌をチロッと出して首をすくめて、いわゆる「ブリッ子」をして見せた。僕たちは店中の人がふり返るような大きいかけ声をかけて伝票を裏返した。

「せえの、いち、にっ、さん!!」

『五百円』と書いてある。はらわたがよじれて呼吸困難になるほど、僕とヒロミは笑った。何て安い店だ。何て庶民的で気取りのないお値段だ。この糞《くそ》ったれ。ヒロミは帰った。笑いながら。

会社の通用門のノブをガチャガチャとまわす。しまっている。何をしてもあかない。

平日は夜中まであいているのだが、土、日は閉めるのが早いらしい。ハハハ、困ったものだ。ハハハ。どこにも行くところがない。ざまあみろ。

夏が逝ってしまう
夏が逝ってしまう
楽しいことがたくさんあったのに
夏が去って
僕らはどこにいればいいのだろう

十月六日（日）

カプセルの中でタイマーが鳴り出した。夢うつつでそれを止める。のびをする。足がつかえる。カプセルの中に封じ込められていることに僕は気づく。押入れの中で眠ってしまった子供のように驚いて。

人間は何とかなるもんだ。昨夜、路上に立ちつくしてボンヤリしていたときに、カプセルインのタダ券を持っていたことを思い出した。隣のカプセルのおっさんのイビキに悩まされながらも、僕は眠ることができた。口の中が粘ついている。どこかでコーヒーが飲みたい。丁度三百円残っている。

金がないのには慣れっこだ。神戸中のドブや溝をさらえて、落ちている小銭をかき集め知人の家まで辿《たど》り着いたこともある。公衆電話を逆さにして振っていると、ジャラジャラ金が出てくる。これは少しやばい。通報する律儀な人たちがいるからだ。もし幸いにして胃薬かなんか錠剤を持っていたら、それをディスコ帰りの連中に売りつける。一錠何百円かで。

「すっごく効《き》くから、気をつけてね」

さりげなくそう呟《つぶや》くのがコツだ。もちろん、あんまり常時やっていると極道に目をつけられる。僕は走るのは苦手だ。チンピラは足が早いし、やたらに新兵器を使いたがる。あとは万引き。本屋でとれとれの新刊書を古本屋へ持って行く。これは、危険が大きいわりに金にならない。とにかく問題はどうやってコーヒー代をひねり出すかだ。いつでもそれが問題だった。メシ代はいらない。今日メシを食わなくても、明日にはどこかでありつける。体が動いて口がきけるうちは、なかなか飢え死になんかさせてくれない。裕福な日本。エビフライが豚小屋へ飛んで行く。キャベツが玉ネギがイモが、チキンの唐揚げが、『あたしこれ嫌いなの』のセロリのサラダが、『えっ、そんなもの食べるの!?』のパセリが、ふやけたソバが、ご婦人がたのヒンシュクを買ったレバ刺しが、魚のはらわたが、松阪牛のきれっぱしが、米のかたまりが、おびただしいスープが、ネギが、アーティチョークが、ニンジンのソテーが、カツオの中落ちが、なだれるようにブヒブヒいう豚小屋の雑踏の中に運び込まれる。毎日、毎晩、毎朝。問題は、豚が喰《く》うか、僕がそれを喰うかだけで、どちらもたいした違いはない。ただし僕は金があれば、豚を喰う。ところが、コーヒー、酒、タバコ、となるとそうはいかない。こいつには金が要る。そして、くやしいことに僕に金を払わさずにはおかない刺激を持ちあわせている。

実際、街にいれば、十円あれば生き抜くこともできる。友人がいれば友人を呼べばいいし、死にかけてる気がしたら救急車を呼べばいい。十円玉さえあればこのかったるい身と心を明日の岸まで辿りつかせることができる。犯罪をするか地ベタで寝るか、どちらを選ぶかのふんぎりを十円玉の表裏が決めてくれる。右へ行くのか、左へ行くのか、それも十円玉が決めてくれる。深夜の交差点でイルミネーションの赤や青に全身を染めあげられて呆然《ぼうぜん》と立ちつくしているときに、それ以外にどんな方法があるのだろう。信号が青に変われば僕たちは歩きださねばならない。右か左か、どちらかへ。スクランブルの上で成金とヨタ者がすれ違う。芸術家と社長さんが、爪楊枝《つまようじ》をくわえた奴《やつ》と残飯あさりが、体重を気にしているオカマと太れないレスラーが、真犯人と後ろめたい刑事《デカ》が、笑ってもらえない落語家と笑いたくない批評家が、豪奢《ごうしゃ》と貧窮が、立ちくらみと立ち往生が、担架と霊柩車《れいきゅうしゃ》が、半殺しの生と生者のふりをしている死が、「君」と「僕」が、花をまとった女と花々の惨殺者たちが、「君はもう見たか」と「まさかあんなもの見やしなかったろうね」が、血と皿が、「ケッ」と「フム」が、食える物と糞《くそ》が、糞とウジ虫が、ウジ虫と狩人蜂《かりゅうどばち》が、「O・K」と「考えとくよ」が、胃痛と冷凍された罪が、育ちの良さそうな男と胃の悪そうな女が、オルガン弾きと空気が、「大丈夫!!」と「大丈夫？」が、鼓膜とロックンロールが、「大」と「犬」が、「ギボン」とこわれてしまった円筒と初めての射精が、ピエロと口唇が、殺しに出かける連中と殺し終えた連中が、注射器とレモンティが、陽光と枯死が、舌とデタラメが、「あのさ」と「またね」が、「ヨッ!」と「バカ……」が、「待てえ!」と「ここまでおいで」が、パパイヤと売春婦が、無とアヘンが、屍肉《しにく》と食前の祈りが、愛をまさぐる手と永遠に遠い果樹園が、船々と戒厳令が、白昼と停電のお知らせが、投網《とあみ》と死海が、塩と空が、巨岩と白砂が、「誰?」と「え?」が、水と骨が、「ロング!」と「ベンスイ!」が、こぶしとてのひらが、嘔《おう》吐《と》と微笑《ほほえ》みが、花束と手錠が、金歯と落雷が、花びらと胞子が、そして風と風が、この交差点の上であいさつもなしに行き過ぎる。信号がもうすぐ変わる。僕は決めなければいけない。右、左、上、下、生、死、等々、信号が変わるその一瞬に。僕はショーウインドウに映る自分の顔を眺めてみる。そいつは愚かそうに笑っている。左手の上に右手を組んで。なぜなのか僕にはわかる。今夜、僕の左手は罪を犯した。右手は夜のどこかで聖衣のすそに触れた。だから右手が左手の罪をあがなおうとしている。交差点のまん中で僕は右と左にまっぷたつに引き裂かれるだろう。それでも行かなくてはならない。信号が変わる。右か左か、上か下か。僕は十円玉を天空高く放《ほう》り投げる。表なら「10」の下に「昭和五十八年」と書いてあり、裏なら「日本国・十円」と書いてある。表がきたら上か右、裏がきたら下か左だ。僕は待っている。

「おかしい。落ちてこねえぞ」

ほのぼのと空が明けていく。ローストビーフのまん中のような含羞《がんしゅう》に頬染《ほお》めて。天使が行く。黒い無数のシルエット。僕は叫ぶ、空にむかって。

「俺《おれ》の十円かえせ、この糞ったれ！」

会社に辿りつくとまず湯を沸かし、コーヒーをいれる。

「珈琲は黒い腐った血」

という名コピーが浮かび、すぐさまクズ箱行きとなる。ついでに僕もクズ箱に入ろうとして失敗する。ソファにあお向けになってぶっ倒れる。あお向けのままコーヒーを啜《すす》ろうとして失敗する。

「あち」

と、うめいて起き上がる拍子にコーヒーを全部ぶちまけてしまう。

「小さな失敗　大きな不幸」

というコンドーム用コピーが浮かんで、こいつもクズ箱へホール・イン・ワンする。

「この夏、純ナマ感覚」

というオマケも後を追う。


別にコーヒーとかコンドームのコピーの仕事が入っているわけではないが、商売柄、疲れて栓がゆるんでいると、この類《たぐい》の小さな小さな地縛霊が次から次へ転がり出てくる。僕はアタマの不自由な人だ。ただ、時たま自分で腹をかかえるようなケッ作ができることもある。

「家は焼けても　柱は残る
　　　　○○の鉄骨住宅」

CF「墓場。暗闇《くらやみ》の中に無数のホタル、ヒトダマ。墓石が台座ごとズズッと後ろにずれて、中から三角の布を額にした青白い顔の男があらわれ、

『こんな　ええとこおまへんで　ほんま景色はええし　交通の便はええし
こんな　ええとこおまへんで　ほんま』と絶叫してひっこむ。
サウンド・ロゴ
♬宗教法人○○霊園　♪」

可愛《かわい》いのもある。


CF「別にこれといったことのない、普通の夫婦が、チャブ台の前でくつろいでいる。夫はビールを飲み、奥さんは子供にミルクをやっている。二人とも背中に大きな羽根があって、それがゆっくりと動いている。奥さん、何げなく赤ちゃんの背に手をまわして、

『アラッ！　あなたっ』

『ん？』

『この子、羽根が生えてきてるっ』

『お、おおっ⁉』

ナレーション：赤ちゃんの夜泣き、かんのむしに
♪樋屋奇應丸♪」

これぐらいだとスポンサーに持っていける。そしてボツになる。ボツになった無数の企画は専門の業者が回収していって、宣伝会議のコピーライター養成講座に売りつける。ＭＳシュレッダーで細かく刻まれたそれら無数の企画を、生徒たちはコピー機の黒い原液につけて啜り込む。これにドンブリ一杯の消しゴムをセットしたものが「コピーライター定食」である。

電通では毎年の暮に、神主を呼んで「没原稿供養」がおこなわれる。これは嘘《うそ》ではない。

ワッハッハッハッ

あのクソいまいましいコピーライター・ブームとかいうのも、やっとアゴがあがってきたようだ。ざまあみろ。結局もうかったのは出版社と、両手の指で数えられるくらいの天才コピーライターと（言っとくが、連中は確かに天才だ。おまけにツラもまあまあだという重大な条件をも満たしていた）コピー教室くらいのものだろう。ある業界誌にはこう書いてある。

「たしかに昨今のタレント・コピーライターの存在を批評することはたやすい。しかし彼らの実績は認めたい。彼らの活躍があったからこそ、コピーライターの存在が社会的にクローズアップされたのである」

なるほど。ではクローズアップされて何がどうなったのか見てもらおう。ここに立ってるこの右の柱が「コピー・ブーム」の記念碑だ。で、先方で酒に酔って千鳥足で歩いているのが出版社の社長とコピー講座の社長さんだ。で、この記念碑の後方から、ほら、ずーっと向うの岡《おか》まで累々と続いているのが、甘言にたぶらかされて学校や会社をやめてしまった、愚かな若者たちの屍《しかばね》だ。これが我々のやったことの全《すべ》てだ。

確かに一行百万円という浅はかな夢を見て、何の気なしについてくる若い連中も悪い。ほら、そこで今日刷り上がった名刺の「コピーライター」の肩書を眺めてニタニタしている君だ。君のことを言ってるんだ。ヒゲをはやすな！　全然似あってないぞ。鉛筆を持つとき、わざわざ小指を立ててるなと言ってるんだっ！

夢を見るのは別にかまいはしない。ただし夢には「いい夢」と「悪い夢」がある。人間というのは「いい夢」をちらつかされると目先の利かなくなるものだ。物ごとの考え方というのは、まずそこ、人間というのは欲ボケした浅はかなものだというところから始めなければならない。それをわかった上でチーズをのせたネズミ取りを仕掛ける奴を、僕は「悪党」と呼びたい。「だまされる奴が悪い」という理屈はだます側《がわ》の論理だ。人間というのは、本来的に灯を見ればそれに突っ込んでいくようにできているのだ。

僕の友人は、新聞の「コピーライター募集」の記事を見て面接に行った。一軒目は裏ビニ本の密造所で、二軒目は中小企業の社長を取材して記事をのせるかわりに十万円を詐《ごま》し取《か》るという、ゴロ業界紙だった。他《ほか》にも似たような話は神戸港の埋め立てに使うほどある。そんな状況の中で、おいしいことばかりチラつかせるコピーライター育成機関の関係者はもはやスジ者の経営している怪しげなタレント養成学校と何ら変わりがない。「チビ・デブ・ブスはタレントにはなれません」と明記したタレント学校を見たことがあるだろうか。コピーライターの育成機関も今や一部を除いては同じことだ。巨大な「失意の若者」の量産機械だ。

ただし、「コピーライター＝ジャパニーズ・ドリーム説」というのもあることはある。スラムにすむ黒人たちにとって、「リッチマン」になる道は二つしかない。ボクシングのチャンピオンになることと、ソウルミュージックのスーパースターになることだ。それを「アメリカン・ドリーム」とするなら、「ジャパニーズ・ドリーム」はコピーライターの超一流になることだというのだ。そうなのかも知れない。税金の申告だけで何千万のコピーライターも現実にいるのだ。ただし、僕ならそうなる確率を、自分の親の顔を見てから考える。僕がいま、広告屋をしていてコピーもたまに書いているというのは、ただ単に現実生活に対する意欲が稀薄《きはく》であって、「成り行き」にまかせた結果でしかない。つまり「どうでもよかった」からに他ならない。おかげで今頃《いまごろ》自分の不向きに気づいてヒーヒー言っている。本気で広告を目指す人がいるなら、単なる「いい夢」への憧《あこが》れは捨てて、念入りにその夢を「リサーチ」し、「戦略」を立てるべきだ。それがこの業界における、まっとうなやり方だからだ。

アカの他人に説教をしてしまった。広告のことはなるべくなら話したくない。前にも言ったが、嫌いだからだ。広告関連の仕事を始めて十年ほどになる。嫌いな奴というのは、最初から嫌いだとわかっているので、案外長く一緒にいられるのかも知れない。逆に、好きだった奴を一旦《いったん》嫌いになったら、二度と顔も見たくないだろう。憎たらしい広告の顔が変わるまではひっぱたいてやるつもりだ。今んとこジャブも入ってないが……。

日曜日のオフィス街というのは不思議だ。音もなければ匂《にお》いもない、もちろん人の気配もない。そんな舗道をコツコツ歩いていると、明日の月曜日になればここいらを埋め尽くすであろうサラリーマンの群々が、何か太古に亡び去った種族の「悪い亡霊」のような気がしてくる。そんな寂寥《せきりょう》の想《おも》いもあながち的外れとも言えないだろう。我々は夜毎の酒場で、死人同士で死人の悪口を言い合っている。これは文字通りの意味で、別に何かの比喩《ひゆ》ではない。我々の現実というのは「うかつな」死者が見ている淡い夢だ。ごたくを並べられるのも成仏するまでの話だ。それより窓々を割ってやれ、陰気な悪霊でいるよりも、妖精《フェアリー》でいる方が楽しそうだから。それにしても何と途切れ途切れの夢。質の悪い夢々に僕は「見られている」ことだろう。

　僕は公園を歩く亡霊だ。樹々《きぎ》は僕を視《み》ることができないからだ。感じることはできても。「木とは人間の兄弟で動かないのです。木の話す言葉では、人殺しのことを樵夫《きこり》といい、死体を運ぶ人のことを炭焼きといい、蚤《のみ》をキツツキと言います」ジャン・ジロドウ。

　僕の会社は巨大な公園の斜め向かいにある。昨日、僕がビルからしめ出されて野宿しようかと考えていた公園だ。時節にはバラの花でいっぱいになる。春には桜の花で息もできなくなる。色彩の過剰が僕ら亡霊の灰色の思考を染めあげ、不慣れな踊りを強制する。言葉は聞こえてこない。それからしばらくすると夏がくる。そして去る。僕らは少しずつ死ぬ。

　僕は少し疲れているのかも知れない。頭の中にワラが詰まっている感じがする。T・

S・エリオットが憑《つ》いているのかもしれない。手を中に突っ込んでワシワシかきたい。耳の穴がもうちょっと大きければ素敵なんだが……。

ノルモレストを二錠吞《の》む。コーヒーがぬるーくなって油断しやがったところを急襲して二杯犯《や》っつける。十分ほどすると、頭の中のワサワサが溶けくずれてきて「山かけソバ」状になってくる。

コントの残りを考えないといけない。頭を振ってみる。右、右、右。左、左、左。右、左、左。左、左、右。右、左。右、左。右、左。ポロンと何か耳の穴から出てきた。

試作品❻

チャブ台の前に気むずかしそうな顔をして「日本の父」みたいな奴がデーンと座って、こわーい顔をしている。

そこへ、楚々《そそ》とした風情の和服のお嬢さんが入ってくる。

「お父さま。お呼びになられました？」

「日本の父」は正面を向いて渋面を作ったまま、

「イ――ッ、ムイムイムイムイ!!」

と言う。

娘は驚いて、

「え？　お父さま、何ですか？」

「日本の父」はまたアシュラのような顔をしたまま、

「イ――ッ、ムイムイムイムイ!!」

「な、何ですか、お父さま。何がおっしゃりたいんですの？」

「イ――ッ、ムイムイムイムイ!!」

娘はしばらく考え込んでいたが、やがてニッコリと顔を上げて、

「ああ、わかりました。お父様は、『イ――ッ、ムイムイムイムイ!!』と、おっしゃりたかったんですのね？」

「日本の父」は深くうなずいて、

「イ――ッ、ムイムイムイムイ!!」


ウム。考えついたとたんに自分で大笑いしてしまった。日本のギャグ史上に残る最低の作品を作ったという実感がヒシヒシと胸に打ち寄せてくる。ポロッ……。また出た。

試作品❼

教室。先生と生徒たち。

「さあ、皆さん、今日から新学期ですよ。みんな元気にしてましたかあ？」

「ハァーイ!!」

「え、今日は、皆さんの新しいお友だちを紹介しましょう。遠い遠い国から来たお友だちですよ。アフリカからやってきた、ウンパギ・モモロ君です」

裸に大きなタイコを抱えたウンパギ・モモロ君登場。タイコをドンドコドーンと叩《たた》いて、

「ウンパギーッ!!」

と絶叫する。

「はい、モモロ君のお国には、言葉というものがありません。かわりにタイコを叩いてお話しするんですよ。今のは、『ぼくはウンパギ・モモロです』と、こう言ったんですよ」

ドドンドドンドンとタイコを叩いたモモロ君、

「ウンパギーッ!!」

「はい、今のは『皆さん、どうか仲よくして下さい』と、こう言ったのですね。皆さん、

仲よくしてあげましょうね」

「ハァーイ!!」

「では、ウンパギ・モモロ君のお席は。ほら、そこの中井良恵ちゃんのお隣に行ってもらいましょうね」

「(ドドドン、ドドドン、ドンドドドン)ウンパギーッ!!」

先生はモモロ君の頬をピシャッと叩いて、

「そんなエッチなことを言うもんじゃありませんっ!! 早くお座りなさいっ!!」

モモロ君はシブシブ席につき、隣の中井良恵ちゃんを好色そうに眺める。モジモジする良恵ちゃん。

「さて、今日はもう一人新しいお友だちが来ているんですよ。ご紹介しましょう。河内《かわち》から来た、鉄砲光一郎君です!」

キンキラキンの和服を着た鉄砲光一郎君、タイコをかかえてドンドン叩きながら登場。

「エ〜 さぁぁてはぁ〜、一座の皆様え〜、ちょいと出ました私はぁ〜♬」

興奮してタイコで同調するウンパギ・モモロ君。

「(ドドンドン)ウンパギーッ!!」

踊り出す生徒達。メチャクチャになる教室内……。

やや「居合斬《ぎ》り」的インパクトには欠けるけれど、これも面白そうだ。ただし面白すぎてオジン、オバンにまで受けてしまうかもしれない。やはり「花月」でやったら冷凍ミカンが飛んでくるぐらいの線は、いやがらせコントの「良心」として持っておくべきなのではないか。

試作品❽

漫才A「いや、うちの妻《サイ》が言うんやけどねえ」
漫才B「君とこは何か、サイ飼《こ》うてるんかいな」
漫才A「え？　君とこはそしたら何飼うてるんや」
漫才B「うちはワニやがな」

ここで「♬チャンチャンチャン♬」と音楽が入るのだが、こういうのは冷凍ミカンが飛んできそうで僕は好きだ。

試作品❾

本屋。訪れた客。女店員。


「あの、すいません。『ハト麦茶殺人事件』っての、あります？」

「はい、ございますよ。上巻、中巻、下巻とございますが……」

「あ……。じゃ、上、中、下、全部まとめてください」

「はい、わかりました。（チンチンチンとレジの音）五千八百円になります」

「あ、じゃ、これ、六千円ね」

「はい、六千円おあずかりいたします。二百円のお返しです」

「あ、どうも……」

「…………。お客さま？」

「え？」

「犯人は……ホテルのメイドですよ」

「え!?」

去って行く客。ヒューッという風の音。


二十歳《はたち》前後の頃、夜っぴて酒を飲んでいて、数人の友だちと、もう腹が裂けるんじゃやないかというくらい大笑いをして、そのまま誰《だれ》かの下宿にしけ込んで眠って、朝起きると顔中にタタミの目がついていた、というような朝。昨日は何をあんなに大笑いしてたんだろう、といぶかることがよくあった。とにかく笑い過ぎたせいで吐いてしまうくらいに笑ってるんだけれど、次の朝になると腹の筋肉が痛いだけで何にも覚えていない。

その頃は、昨日、自分が何で笑っていたのかを思い出そうともしなかった。ギャグなんてのはツバと同じで、道ばたにペッと吐いて気持ち良ければそれでよかった。その夜をシュワッと泡だたせて浮きあがらせて、そのまま忘れ去ってしまう、それが正しいギャグの味わい方だった。

そいつに、とうとうこの頃値札が付き出した。ラジオ局が、テレビ局が、僕らの夜々の白痴ネタを買い付けにくる。一番高いのは一分くらいのコントで一本一万円の値がつくことだってある。

試作品⑩

女助手「植物に感情があるか、という研究、その後、先生いかがでございますか？」
教授「ふっふっふっ。キミ、このサボテンを見てくれたまえ」
女助手「あらっ、このサボテン、トゲがなくなって、ツルツルですわねえ」

教授　「フフフ。これはね。三カ月にわたって、『おお、よしよし、いい子ちゃんだねえ、だぁれもお前をいじめたりしないよっ！』と言い続けて育てたら、こんなにトゲのないツルツルのサボテンになったのだ。ま……以心伝心というやつかなあ、ハッハッハッ」
女助手「まあ。でも、こちらのサボテンはずいぶんとトゲトゲですわねえ」
教授　「ウム。このサボテンにはな。『なんだ、コノヤロ、お前なんか踏みつぶしてやるぞっ!!』と、毎日オドシをかけたわけだ。その結果、こういうトゲトゲのサボテンができたわけだよ。ウン」
女助手「し……信じられませんわ」
教授　「こんなもんで驚いとってどうする。このサボテンを見てみなさい」
女助手「この……サボテンが何か……」

サボテン①「マー、ホンマニモー、ムチャクチャデゴザリマスルガナ！」

女助手「きゃっ、しゃっ、しゃべりましたわっ！」
教授　「うむ。これはな、毎日毎日、『お前はアチャコだ』という暗示をかけて育てたサボテンなのじゃ」

女助手「し……信じられません」
教授「では、このサボテンを……」
サボテン②「ナハッナハッナハッ、ナハハハハ」
教授「せんだみつおだ」
女助手「信じられませんわ」
サボテン③「わてが、ガンノスケだす」
教授「芦屋雁之助だ」
女助手「信じられませんわ」
サボテン④「なんたってもう、リータンピンドラドラっつうくらいのもんで……」
教授「大橋巨泉だ」
サボテン⑤「わっはっはっ、アッコだ。文句あっかーっ!」
教授「和田アキ子だ」
女助手「せ、先生。でも、これだけの研究の成果……。何にお使いになるんですか?」
教授「キミ……。ワシはね……」
女助手「はい」
教授「テレビを持ってないんだよ」

女助手「……ええ」

　さて、でっちあげた原稿をクリップではさむと、こいつを売りつけに行く番だ。これじゃまるで貧しいシジミ売りの少年だ。涙ぐましい話だ。

　ノルモレストが効いていて足元がフラフラする。いい年をしてラリっているのだ。

　しかし川端康成だっていっつもラリってたじゃないか。何が「美しい日本の私」だ。ノーベルじじいめ。

　ある日、内田百閒《ひゃっけん》が芥川龍之介の家へ電車賃を借りに行った。小銭を数枚無心に行ったのだが、当の芥川は睡眠薬を飲みすぎてひどくラリっている。百閒の所望した小銭を抽《ひ》き出《だ》しからつまみ取ろうとするのだが、手がブルブル震えて、どうもうまく取れない。

　イライラした芥川はあるだけの小銭をつかんで百閒に差し出すと、

「どうか君、いる分だけ取ってくれないかね」

　と言った。百閒は何枚かの小銭を芥川の手のひらから取りながら、

「しかし君、そんなに手元が怪しくなるまで睡眠薬をやるというのは良くないよ」

　と忠告をした。

　芥川はムッとして、

「何を言う。君だって大酒を飲んでるではないか」

と反論した。

涙が出そうないい話だ。結局そういうことなのだ。酒も煙草《たばこ》もやらずに、毎日五キロのジョギングやってますという人はたくさんいるだろう。

ジョギングをしていると、段々に陶酔状態になってくる。「ランナーズ・ハイ」というのだが、これは脳中にモルヒネに構造の酷似した成分が作り出されるからなのだ。ジョギングなどは靴が減ります、と言って貯金通帳の数字をひたすら眺め続けている奴もいる。目が完全にいっている。

「一日一善」に固執する奴の精神構造というのも、完全に中毒者のそれだ。要するにみんなラリってる。ラリってる中で一番たちの悪いのは思想と宗教にフリっている奴だろう。

ああいうのは僕はこわい。目がすわっている。睡眠薬の方がまだずっとマンだ。自分がラリっているのがわかっているからだ。

結局、人間はどっかにポッカリとばかでかい穴があいているのだ。何かで埋めなくてはいけない。埋められれば何でもいい。その結果、腐った猫の死体をいっぱいに詰め込んだ連中が意気揚々とカフェバーにたむろすることになるわけだ。ヒゲなんか生やして……。

読売テレビに行くことを考えているのだが、歩くと三十分はかかる。このラリった足どりだと四十分はかかるかもしれない。腹も余計に減るにちがいない。どこかでこけて顔が血まみれになるかもしれない。そういうモロモロを考えると、どうしてもタクシーで行きたい。タクシーがいい。でも金が三百円しかない。金がないとタクシーに乗れないのは当り前なんだけれど、当り前のことにしたがわなければいけないということに、にわかにムカッ腹が立ってくる。

考え込む。しばらくすると妙案が浮かんだ。先日、飲み屋で紹介された、朝日新聞の記者の名刺があったはずだ。アレを使おう。

これは驚くべきことなのだが、「朝日」の人というのは名刺でタクシーに乗れるのだ。会社のチケットも何もいらないのだ。嘘じゃない。

名刺入れをひっくり返す。あった。

ガランガランにすいた休日の四ツ橋筋で、気のなさそうなタクシーを一台とめる。雨がふり出しやがった。

読売テレビの通用門をくぐる。正門は休日なのでしまっている。

スタジオ裏の狭い通路をすり抜けて、北玄関前のエレベーターに出る。大阪で二番目に遅いエレベーターだ。

六階の制作局に行く。人気はほとんどない。

やった、ツジがいる。マーボー丼《どん》を食ってやがる。これを逃したら次はいつ食えるかわからないといった感じの迫力で食っている。

ツジの背後まで気配を消してソロ〜ッと忍び寄っていく。耳元に口を近づけて低い声で、

「うまいか？」

「うわっ‼」

ツジはマーボー丼の皿をガチャンと机の上に叩きつけた。割れなかった。

「うわぁっ……と……。ああ、ビックリした。よしてくださいよ。お皿が割れちゃうとこだったじゃないですか」

「割れなくて良かったなあ、と今思ってたんや」

「どうしたんですか。休みでしょ、今日」

「うん、そうなんや。休みなんやけど、実はよんどころない事情があって、今、家出してるんや、俺《おれ》……」

「家出？　いい年して。よしなさいよ」

「三界に家がない。ついでに金もないんや。あと三百円しかない」

「そりゃ気の毒ですねえ。普通、社会人ってのはね、『命金《いのちがね》』っていって、自分の年齢かける千円は持ってないといけないって言いますよ。だから、らもさんだったらせめて三万円くらいは持ってないと恥かきますよ」

「恥はいっつもかいてるよ。それでね、昨日と今日で、コントを書いたんや。十本。こいつを買ってもらえないかと思って来たんやけど」

「コント書いたって……。ははは、おっかしいなあ。あんなのってだいたい原則的に受注生産ですよ。金がないからって、作って売りにくる人なんて……」

「シジミ売りみたいやろ？」

「シジミ売りですよ。どんなのですか。見せて下さいよ」

「うん。これ」

ツジは僕の渡した原稿用紙をニタニタ笑いながら読み始めた。そのうちニタニタ笑いが徐々におさまってきて、真面目《まじめ》な顔になってきたな、と思っていたら今度はコメカミのあたりがピクピクッとひきつり始めた。

「何ですか、この『走る坊主』ってのは。こんなもの実際に作ったら百万円くらいかかっちゃいますよ」

「えっ？」

「…………。『えっ？』じゃないでしょうが。どこの世界に三十秒のコントに百万出すテレビ局があるんですか」

「BBCなら出すよ、きっと」

「ここは日本です。百万あったら坂本龍一呼びますよ」

「坂本龍一はいつでも見れるけど、『走る坊主』はそんじょそこらじゃ見れないぞ」

「いいから、ちょっと黙っててください」

ツジは残りの原稿をザッと読んでいって、途中で二回ほどクスッと笑った。そして僕の方を見ると、

「使えるのが五本くらいです」

「え、五本もあった？」

僕は驚いて、次に百万円の笑顔をつくって見せた。

「で？　金がないんですね」

「そうや。その原稿買ってくれ」

「ええ、買うのはいいですけど、うちは会社ですからね、買ったとしてもお金が出るのは、これを使った番組がオンエアーされた月の翌月になりますよ」

僕はツジの顔を穴のあくほど眺めて（実際、アナがあいちまえ、という呪《のろ》いが込もっていたのだが……）ゆっくりと言った。

「君は人の話っつうのを何も聞いてないんやな」

「え？　そうですか？」

「そうですかって……。今、三百円しかないって言わなかったっけ、さっき」

「聞きました、聞きました。それで、そりゃ気の毒だなあと思って、ボク……」

「その後、君が『命金』の話をしたんや。そのこと覚えてるな？」

「ええ、覚えてますよ」

「君は、いまいくつだ」

「え、ええ……二十五歳ですけど……」

「ふーん、若いなあ。じゃ、年齢かける千円だと、今、二万五千円持ってるんだ。な？」

「え……ええ、もうちょっと持ってます。三万五千円くらい」

「二万円よこせ」

「え、二万円ですか？」

「立て替えってことにしといてくれ。明日、クサッた講演会とラジオの録音があるから五万円くらいキャッシュで入る。絶対返すから」

「え……ええ、いいですよ。貸しますよ。二万円。でも絶対に返してくださいよ」

「僕は今までいっぺんでもウソをついたことがあったか？」

「…………。答えなきゃいけないんですか、それ」

「答えんでいいから、早く二万円出せ」

「はい。じゃ、これ」

ツジはポケットからグシャグシャになった万札を二枚、名残り惜しそうに差し出した。

それを受け取った瞬間に、僕の本日の目算がピシッと立った。

まず、酒が飲みたい。ディスコに行きたい。ちゃんとしたベッドで眠りたい。昨日会ったヒロミにもう一度会って決着をつけたい。おかまスナックにも行きたい。

「もしもし、ヒロミさんですか？」

「はい、そうですけど」

「中島です。昨日、安い喫茶店のせいで右と左に泣き別れになった……」

「えーっ、ウソみたい」

「ウソみたいでしょ。僕、ヒキが強くて、今日お金が入ったから昨日の仕返ししたいんだけど。コーヒー十杯ずつ飲むとかさ」

「キャハハハハ。おっかしーい」

「遊ぶヒマある」

「ないの」

「何かあるの？　田植えの手伝い？」

「うちの家はサラリーマン家庭だから田植えはないの。今日は仕事なのっ！」

「売店だったね。よーく考えてね。今日、君が売店をすっぽかして、代役の人が来たせいで、すごく悲しむ人が何人いる？」

「どうかなあ、少しはいるかもしれないけど。かわいいから、私……」

「少しでしょ、少し悲しむだけでしょ。けど、僕は君が今日売店に出たら深ーく悲しむ人よ」

「深ーく悲しむの？」

「深ーく悲しむ」

「わかった。人助けだと思って付き合ってあげる」

「かなりいいかげんな性格やね、君」

「やっぱり売店いくっ！」

「六時に新阪急ホテルのロビーで待ってる」

「勝手に待ってたら？」


新阪急ホテルのロビーは、名刺交換をしているおびただしい数のえらそうなサラリーマン、フィリピン人、インド人、韓国人、アラブ人、クラブのママ、シティボーイを気どった大学生、略礼服を着た四国の人などでごった返していた。

ヒロミはそんな連中を物珍しそうに眺めながら、ガムをクチャクチャ噛《か》んで、柱のすみにヤンキー座りをしていた。

「あんまり腹がへったから座り込んでるんやろ」

「わりと鋭い人なのね」

「僕は今日はコーヒー二杯だけなんや。とりあえず、何か食べにいこうよ」

「うん」

「バカスカ食べてもあんまり笑われない店がいいな」

「まず、どこの国へ行くか考えるといいんじゃない？」

「そうやね。とりあえずおフランスはやめとこうね」

「やめよう、やめよう」

「中国、韓国、インド、台湾、ベトナム、アメリカ、イタリア、ドイツ。どこへ行きたい？」

「エスペラント料理ってのはないのね？」

「オリンピックの選手村かなんかに行くとあるかもわからないね」

「まずそうね」

「うん」

「日本に行くってのはどう？」

「それはすごくいい考えやと思うよ。この前、立喰《ぐ》いうどん食って以来やし」

阪急のガード下の「あさぎ」という小料理屋に腰を落ち着けると、僕たちは欠食児童のように食べ始めた。

アジのたたき、アサリの酒蒸し、揚げだし豆腐、赤貝、小芋《こいも》の衣《きぬ》かつぎ、生レバ、レンコンの天ぷら、ドジョウの唐揚げ、鶏わさ、トビウオの塩焼、貝柱のぬた、焼きおにぎり、そして清酒「タイガース」をほとんど一本、冷やで。

ヒロミはとにかくパクパクよく食べて飲んでしゃべる子で、そういう女の子というのは条件抜きで可愛らしい。

僕たちの話題は主に「タコ」の話だった。夏目雅子の話からたこ八郎の話になり、それが本物のタコの話に移行していったのだ。

明石《あかし》のタコというのは有名だが、近年は海が汚れて、昔のような立派な大ダコというのが獲れなくなってきている。全体に小ぶりになってきている。ところが妙なことに小ぶりのタコの個体数自体は増加してきている。つまり、少数の大ダコと多数の小ダコを比べてみると、タコ自体の総重量は一定なのである。環境が悪化してくると、タコは個体を小型化して総数を増やす。それによって生きのびる確率を増やすわけだ。

いったい、どこの誰がこんな賢いことを考え出すのだろう。タコだろうか。それともタコの神様だろうか。

ヒロミは、そんなこと考えると頭が痛ーくなってくるし、どうせ考えてもわからないに決まってるからパスしようと言う。

ただし、タコが陸上生物でなくて良かったということだけは神様に感謝しているそうだ。家族で晩ごはんを食べていて、チャブ台の上に、天井に貼《は》りついていた砂だらけのタコがグチャッと落ちてきたらどんな気がすると思う、と彼女は僕の目を覗《のぞ》き込むのだった。

それからディスコへ行って、タコ踊りをした。日曜日のディスコはひっそりとしていて、誰もいないピカピカ光るステージで、食い過ぎの腹をもてあましながら腹ごなしをするのは楽しい。

この前、この店に来たときは、ずいぶん酔っ払っていて、広告屋仲間の集団でワイワイやっていたのだが、そのうち「ナンパ」をしようということになった。

ざっと店内を見渡すと、ちょうど我々にピッタリの四、五人連れの女の子の集団がいる。十七、八歳ぐらいだろう。

ジャンケンで負けた僕が「ナンパ」をしに行くことになってしまった。

もうすでに羞恥心《しゅうち》などどっかの店に置き忘れてしまっているから、三十を越えたおっさんであることなど露ほども気にしない。

ツカツカとその女の子たちの席まで行くと、

「ね、君たち、高校生？」

と優しいトーンで尋ねた。

女の子たちは一瞬ピクンとして顔を見合わせていたが、やがてその中の気の強そうな子が、僕をキッとにらんで、

「うちら、何にもやってへんよ!!」

と言った。

僕はしばらく立ちすくんでいたが、やがて踵《きびす》を返すと、物も言わずに自分たちの席へ戻って行った。

「補導」とまちがわれたのだ。


頭の中から滝のように汗が流れ出てくる。三曲目か、四曲目くらいから何か陶然とした快感が頭の中を支配しだして、今、自分がどこで何をしているのかが、どうでも良くなってくる。世界は、ベースとドラムの幾何学模様にふちどられた色彩だけの空間に変わっていく。阿波《あわ》踊りもサンバもディスコも、つまるところ全く同じだ。「ランナーズ・ハイ」はエラいのだ。

それにしても、ヒロミは踊りがうまい。クルッと回ってみせるときの空気の切り裂き方。「愛のかまいたち」と彼女を名づけよう。

僕の場合は、落語の「らくだ」に出てくる「死人《しびと》のカンカン踊り」に近いもので、一生懸命踊っているのだが、そのギクシャクした動作がぶっこわれたロボットのようで、はからずも一種「ニューウェイブ」の雰囲気をかもし出しているのである。

とにかく僕たちはほとんど口もきかずに、三時間近く、そのディスコで踊り狂ったのだった。

体中の水分という水分が抜けて、僕たちはツタンカーメンのミイラみたいにパサパサになった。

「君もお風呂《ふろ》に入っといでよ」

ホテルの冷蔵庫からビールを取り出しながら、僕は言った。

「でも、あんだけ汗をかいたら、シャワー浴びたのと同《おんな》じだよ」

へらず口をたたきながらヒロミは風呂場へ入って行った。

僕は備え付けの浴衣を着ながら、「男が左前だったか、右前だったか」を必死で思い出そうとしている。

帯の結び方も知らない。ギュッと蝶々《ちょうちょう》結びにして鏡の前に立つと、犬のいない西郷さんみたいな感じだ。

浴室からザアザアとシャワーの音が聞こえてくる。

僕はビールを飲んでいる。何か、自分が今夜、この世で最低の人間のような気がしてくる。

「愛のかまいたち」がバスタオルをまとって浴室から出てくる。他にすることがないので微笑んでいる。

全身がうっすらと淡いピンク色に染まっていて、とってもきれいだ。

「いま、何時？」

「時計もってないんや。たぶん一時くらいやと思うよ」

「明日、早いの？」

「会社あるから。九時くらいに起きたら間にあう。君は？」

「あたしは昼からだから」

「いいなあ。…………。ほいじゃ、寝ようか？」

「……うん。そいでね……ひとつ言っとくことがあるんだけど……」

「ん？」

「私ね……。処女なの」

「シェーッ!!」

僕は思わず、「シェーッ！」をしてしまった。それはないでしょう、という気もしたけれど、長いこと生きてるとこういうことだってあるものなんだろう。

「そりゃ、責任重大やけど、せい一杯がんばるよ。けど、緊張しなくてもいいよ。セックスなんて、大笑いしながらやるもんなんやから。パゾリーニの映画見たことあるでしょ？」

「ある」

「みんな、ゲラゲラ笑いながらセックスしてるでしょ？　あれでいいんやと僕思うけど……」

「よくわかんないけど、先生、よろしくお願いします」

急にしおらしくなった「かまいたち」をベッドに連れ込んだのだが、まさか苦しまぎれのお説教がほんとになるとは思ってもみなかった。

彼女は極度の「くすぐったがり屋」だったのだ。乳房に触れても胸に触れても、よっぽどくすぐったいのだろう、死にそうな嬌声《きょうせい》をあげて笑い転げるのだ。

ついに記念すべき結合を果たした後も、彼女はすれ合う肌と肌がくすぐったいと言って、ずーっと笑いっ放しだった。

ヘトヘトに疲れた僕が、トロンとした眠りに入り込もうとしているときにも、すぐ後ろで彼女のクスクス笑いが断続的に聞こえているのだった。

十月七日（月）

目がさめてテレビをつけると九時半だった。

「かまいたち」は横でクークー眠っている。

小鼻がテカッと光っている。やや脂性《あぶらしょう》とみた。

カッパみたいな頭を二、三度撫《な》でてやると、パチッと目をひらいて僕の方をしばらく見ていた後、

「いやだあ！」

と言った。

「あのさ、いま九時半なんやけど、十時こえたら追加料金がつくから、ぼちぼち出ない？」

「うん出よう」

ホテルの植え込みの陰から、ササッと素早く忍び出る。カァーッと陽《ひ》ざしが照りつけ

てきて、一瞬何も見えなくなる。何げないふりをしてその列の中に溶け込んでしまう。

人がいっぱい歩いている。

「コーヒー飲もうよ」

「いいけど、会社なんでしょ？」

「うん。でもうちの会社は、女の子には生理休暇、男には二日酔休暇ってのがあるから……」

「いい会社に入れて良かったね」

「まあね」


それから僕たちは「水出しコーヒー」という看板のかかったコーヒーショップで、強い香りのするコーヒーを飲んだ。

「かまいたち」は、モーニングセットのマフィンを僕の分までパクパクと平らげた。

彼女は、売店にくる中の、バカな客の話を力一杯話してくれた。たいへんタメになった。

「じゃ、ぼちぼち行こうか」

「うん行こう行こう」

「ちょっとお願いがあるんやけど……」

「ん？　なに？」

「コーヒー代持ってる？」

「え？……そりゃ、持ってるけど」

「出しといてくれる。ホテル代払ったら八十円しか残ってないんや」

「……。ひとこと感想言っていい？」

「どうぞ」

「あんたって、最低やね」

「スルドいご意見ですね。…………。また遊んでくれる？」

「宝くじでも当たったら電話してよ」

「ギャンブルはきらいなんや」

「ひとつくらい、いいとこあるのね、人間って……」


会社のドアをあけると、社長がソファにグッタリと横たわっていた。何となく赤っぽい顔をして、ハアハア息をついている。

「社長、どうなさったんですか！」

「おう、中島か。おそいやないか、え？」

「すいません。どっか具合でも悪いんですか？」

「おう。いつもの奴や。持病が出たんや……」

「あ……二日酔ですね」

僕の参入を得て、狭いオフィス内は、時ならぬ熟柿《じゅくし》の匂いに満たされる。

こういう社風に慣れっ子になっている経理のフミちゃんは、所定の場所に座って、ものすごい勢いでソロバンをはじいている。

「お早うございます」

「中島さん、目の下にクマができてますよ」

「あ、わかる？　しぶいかい？　セルジュ・ゲンズブールみたい？」

「博多淡海みたいです。……お茶にします？　コーヒーにします？」

「梅昆布茶を大っきい湯呑みでください」


会社の構成員はざっとこれだけだ。トップが社長でNo.2は僕で企画課長の肩書きがついている。三十代で課長になったのはこの会社創設以来、僕だけだ。それに経理のフミちゃんで、いわゆるトロイカ体制を敷いている。

一応、社内は社長派と反社長派に分かれている。反社長派の筆頭は僕である。社長派の筆頭は社長である。フミちゃんは今のところニュートラルの状態にいて、彼女がどちらに付くかによって、社内の趨勢《すうせい》が決定される。それはフミちゃんのその日の気分によって変わる。勝ったり負けたりの日々だ。おおむね酒臭いものの方が分が悪いようだ。

彼女の仕事上の悩みというのは、煩雑な経理のアレコレよりも、むしろオフィスのこの腐った柿《かき》のような臭気にいかにして耐え切るかということのようだ。

まったく、こんな酒臭い会社は僕も初めてだ。

この会社に入る前は、南森町の広告代理店の印刷部でブローカーのようなことを丸四年やっていた。

ここではいろんなことを教わった。

まず、おじぎの仕方。「靴の先を見ろ」というのがそれだった。自分の靴の先を見るようにしておじぎをすると、必ず腰が深く曲がって、たいへん卑屈な感じのおじぎをすることができる。

「頭下げれば蔵が立つ」というのもそのときに教わった。

得意先に行ったら、宗教と政治と野球の話はするな、という鉄則も教わった。

実際、僕が少しでも人前でしゃべれるようになったのは、この会社のおかげだ。

二十歳前後の僕は一種の自意識過剰からくる閉じこもりのようになっていて、初対面の人とはほぼ完璧《かんぺき》に口がきけなかった。

特に女の人が前に座ったりすると、もうアジャンタの石窟《せっくつ》院の石像かなんかのように全身が硬直してしまうのだった。

だからいつも濃いサングラスをかけていた。目を見られていないと思うと、少しは気が楽になって、時候のあいさつくらいのことはできるからだ。

このサングラス癖は十何年たった今でも続いている。結婚式でも葬式でも表彰式でもサングラスをかけたままで行く。不行儀を難詰されると、

「目が良くないもんですから……」

と言う。相手はたいがいうろたえて自分の非礼を詫《わ》びてくる。そんなときは、二重にやりきれない思いがする。

悪いのは目なんかじゃないのだ。


ほぼ、失語症のままで入社して、その日のうちに得意先の担当者のところへあいさつに行かされた。

官庁の発注を受けて、ゴミ焼却場や汚水処理場を建設する、かなり大きな会社だった。そこのパンフレットやマニュアルを作るのが僕のまわされた印刷部の主な仕事なのだ。

相手はその会社の広報担当の部長で、四十がらみの一見温和そうな人だった。

紹介されて、僕は名刺を渡し、自分の靴の先をしっかりと見ておじぎをした。田植えみたいな格好だな、と思った。

一緒に行った上司と部長の間で、カタログの打ち合わせが始まった。

「いえ、これは四度二度の三ツ折の部分ですから、こう折ったこの部分が見開きになるわけですねん。それでこの工場写真自体は空が曇ってますから、別の借ネガのきれいな青空の写真と毛抜き合わせで合成しますねん。その製版料が余分にかかるもんやから、そういう見積りになっとるわけです」

「しかし、撮影の日が曇っとったんは、ウチのせいとちがうしなあ。こっちも会社やさかい、これはこれの予算の中で動いとるもんやさかいなあ。何とかなりまへんか」

「いやー、あんまりいじめんといて下さいよ、部長」

チンプンカンプンの会話がとびかう横で、僕はただひたすらに引きつったような笑いを顔に貼り付けて我慢している。そのうちに緊張がどっかで線を越えたのだろう。何だかとても眠くなってきた。さすがにここで舟をこぐわけにはいかない。足の先を片っ方の足でギュッと踏んだりして、必死でこらえる。そうやって眠気と闘う方に気がいっているときに、

「どうかね、そこのフレッシュマンはどう思うかね」

という部長の声がいきなりとんできた。

「え？　はい……」

「君なんか、若い感覚をしとるやろうからちょっと意見を聞きたいんやけど。どうかなあ、ここのバックの色なあ。し尿の脱水処理機のバックが淡いピンク色やっちゅうのは、どうもピンと来んと思わんかね。え？」

胃がギュッと縮まった感じがした。何か言わなければいけないのだ。それも相手を納得させて、し尿脱水処理機のバックをピンクに持ち込めるような、「有意義な発言」を……。

「いや、僕、よくわかりませんけど、このピンクってのはいいんじゃないかと思いますよ。たとえば、このバックが黄色だったら、あまりにも『し尿』のイメージと合いすぎますでしょ。その点、ピンクだとこの機械がパッと引き立ちますし。これがピンクだからといって血尿を連想する人ってあんまりいないと思うんですよね。デザインってよくわかりませんけど、何かある種そういう、ハッとさせるような違和感がある方が人を引きつける効果があるんじゃないかと思うんです。音楽だってそうですよね。きれいな和音の中にわざと一音、セブンスとかディミニッシュのコードを入れてみると曲自体が浮き立つみたいなことがありますよね」

ほとんど自分が何をしゃべっているのかわからなかった。相手が四十過ぎのおっさんで、音楽といえばカラオケを後ろにタコ踊りをするしか知らない人種であるということなどにも、全然アタマがまわらなかった。

広報部長は、頭をポリポリかきながら、僕の方を見ずに、上司に向って言った。

「うーん。どうも僕の頭が悪いのかなあ。この人の言っていることよく解らんのだけれどねえ」

空気が凍りつきそうになった。そこを上司がカラカラと笑って、あったため直しにかかる。

「あっははは。なんせ、まだ昨日まで学生やったんが、背広着てネクタイしめてるだけでっさかい、あんまりいじめんたっといて下さいな部長。ま、これからドシビシ仕込んでいきますから、部長も色々教えたってくださいい。頼んまっせ!!」

部長は、いやいや、とか何とか言いながら温和そうに笑った。

結局、「し尿脱水処理機」のバックは、部長の意見でクリーム色に決定した。茶系統のクリーム色である。

僕の上司は籾井《もみい》さんという人で、僕より三歳くらいしか年の違わない人だったが、高校を出てすぐに九州の田川から大阪に来て、何軒かの印刷会社を転々としてきた人なので、プロとしての知識はしっかりと持っていた。

教わることはいくらでもあった。

オフセット印刷の仕組み。活版印刷の仕組み。紙の種類の見分け方。厚みを指ではじいて見分ける方法。見積りのやり方。校正の仕方。そして紙を運ぶときは腹を前に出して、腰骨にひっかけるようにして、紙の束に追いついていく要領で前に進むことを。

僕はスポンジが水を吸うように、いろんなことを覚え込んでいった。覚えは籾井さんが舌を巻くほどに早かった。籾井さんが三年ほどかけて身につけた全てを僕は半年ほどで覚え込んでしまった。

僕は多分、くやしかったのだ。二度とあの福助みたいな顔をした部長に、

「僕の頭が悪いのかなあ。この人の言ってること、どうもよく解らない」

なんていうことを言わせたくなかったのだ。

僕はムキになっていたようだ。毎日、何種類もの紙を指ではじいて、

「これはアートの百十キロ」

とか言い当てる練習を続けた。

「積算資料」に目を通して、その月の紙の値段の相場を頭に叩き込んだ。資料がなくても得意先で見積りがその場でできるように、カラーオフセットの複雑な製版料金を車の中でいつも暗唱した。

そして紙を運んだ。毎日毎日、膨大な量のパンフレットの包みを腰だめにして運びま

くった。最初の一カ月くらいは体じゅうが痛んだけれど、そのうち、何の力も使わなくても頭より高い紙の山をすいすいと運べるようになった。腕が少し太くなった。

籾井さんから教わることがほとんどなくなると、印刷協会の主催する講習会に夜通って、「一級印刷士」の免状を取った。

一年くらいたつと、たいていの印刷屋の営業マンには知識で負けないようになった。ただ僕は大きな間違いを初手から犯していた。ひとつは、この涙ぐましい努力の原動力が、くだらない仕事をくだらないとはっきり言い切れるようになるための知識欲だったこと。つまり「社会に対する憎しみ」が核になっていたこと。

それともう一つは、印刷屋の営業マンというのは、専門知識を活用したりする職業ではなくて、ただ単に「謝る」のが商売の職種であるということに気づいていなかったことだった。


ほぼ完璧な職業知識で全身を武装したにもかかわらず、僕の毎日の仕事はひたすら「謝る」ことだった。

どんなに注意していても、版下制作、製版、刷版、印刷、製本、配達のどこかのプロセスで、まるで僕をあざ笑うかのようにミスが混入してくる。

「我社は」が「我社め」になっていたりする。色ズレがある。裁断ミスで社長の顔がギロチンで切ったようにぶっちぎれていたりする。十七日の朝に東京で会議に使うはずのパンフレットが、当日、北海道の漁港の駅に届いていることもある。得意先の担当者の校正ミスを、「浮世の義理」でかぶらねばならないこともある。

とにかく毎日どなられっ放しだ。ぜんまい仕掛けの人形みたいにペコペコ謝る。靴の先を見詰めてだ。

半年くらいで、胃が何かにつけてキリキリ痛むようになった。胃壁のどこかが超薄型コンドームみたいに透き通ってる感じだ。何かあればパチンと破れそうな気配がする。

大酒を飲む癖がついたのはその頃からだ。

一度計算してみると、九時間働いて、ちょうど九時間飲んでいたことがあった。一日は二十四時間らしいから、もちろんほとんど眠らないまま会社に行くわけだ。

僕はいつも朝のエレベーターの中で、ぐっと息を詰めていた。あまりにも酒臭いのが自分でわかっているので同乗者に迷惑をかけないためだ。ところがオフィスはビルの六階にある。一生懸命息を詰めているのだが、四階くらいから段々怪しくなって、五階に着いた頃に、

「プハーッ」

と必殺のアルコール・ガスを全開放してしまう。もちろん皆ジェントルマンなので何にも言わないけれど、明らかにフッと顔をそむけるＯＬも何人かいたりする。

そんなで毎晩飲んだくれているから、家にもあまり帰らない。タクシーで家に帰るよりも、サウナかカプセルインに泊まった方がはるかに安くつくのだ。そうすれば安月給の中から、次の日のアルコール代をひねり出すことができる。

三日ほど何の連絡もせずに帰らずにいると、配偶者から会社に手紙が来た。

「拝啓。寒さ厳しき折、いかがお過しでしょうか。当方はおかげさまで元気に暮しております。ごぶさたしておりますが、お近くにお立寄りの節は、ぜひ一度ご遠慮なくおいでいただきますよう、お願い申し上げます」

手紙をそっと同僚に悟られないように破いてくずかごに放り込んでから、僕は考えた。もう、三日もパンツを替えてない。しかしこの手紙が来たからといって、すぐに家に帰るとカッコが悪い。

僕はそれからもう二晩、なんとか街で過した。

五日目にフラフラになって家の扉をあけると、一歳半になる娘が音を聞きつけて、ヨチヨチと玄関に出てきた。

ニコニコ笑っている。抱き上げると、プーンとミルクの匂いがして、何か全身がふかふかと優しいぬいぐるみのように柔らかい。

急に涙がボロボロ出てきた。

何か、とても情けない気持ちだった。

「これからは少し心を入れ替えよう」

と、そのときは本気で思った。

風呂に入って、野菜の煮たのを食べて、すぐに眠った。

ただし、次の日からはまた夜っぴてドンチャン騒ぎが始まった。そいつは今に至るまでずっと続いている。


僕はさすがに身の危険を感じるようになった。

このままでは、フラストレーションのせいで、近いうちにどこかの街のドブの中か何かで冷たくなる。ドブネズミとお友だちになる。そんな実感が、冗談でなく感じられるようになった。

その頃から、僕は自分に暗示をかけるようになった。それはこんな暗示だった。

「お前は犬もソッポを向くような下らない仕事をやっている。お前が胃かいようで倒れたら、次の日から誰かが何の支障もなく代りを務められるような、そんな仕事だ。

そんな仕事のせいで胃に穴をあけるのは勝手だけれど、損な話だ。あの安月給には胃かいようの入院代は含まれてない。お前が働いた分で、社長はメカケのマンションの共益金を払っている。

一日、八時間だけを身売りしているっていう風に考えろ。それ以外の時間、仕事のことを考えるのは、慈善事業をやってるようなもんだ。

どなられて、ペコペコして、靴の先を見て、これでいくらになったのか勘定するようにしろ。

ミスが出たら、とりあえず申し訳なさそうな顔だけはしろ。ゴミ焼場のパンフレットに誤植があったからって、別に地球が丸焦げになるわけじゃない。仮に丸焦げになるとしたって、その時は死ぬだけの話だ。

会社の奴と飲むな。せっかく苦痛を八時間売ったはした金で飲むんだ。残りの十六時間をその金で買うんだ。そいつを奴らの手に渡すな！」

こいつを毎日のように自分に言い続けた。精神構造が変わるまでに半年ほどかかった。考えをそういう風に無理矢理に矯正すると、毎日のクサった仕事が屁《へ》でもなくなってきた。逆に冷徹なプロ意識のようなものができてきて、ピンチの状況を静かな手さばきで処理できるようになった。

ただし、どうも夢だけは制御できないもののようだ。

納期の間に合わない仕事をかかえていたりすると、晩は水のかかったカエルのような顔でヘラヘラ飲んでも、夜中にガバッと夢で起きることがある。汗をぐっしょりかいている。

ただし、一番多い悪夢というのは、

「卒業できない。単位が足りない!!」

といって目が覚める奴だ。目が覚めたあと、自分はもうとっくに学校なんか出て、会社に勤めているんだということに気づいて、心底ホッとする。

おまけにもっとうれしい感じがするのは、同じ程度の苦痛を強制されていても、学校というのは学費を取られるのに対して、会社は金をくれるということだ。


今でも思うけれど、籾井さんという人は実に素敵な上司だった。

九州男児らしく、男っぽくて、一度言い出したら後に退《ひ》かないようなところがある人だった。こと仕事に関しては、僕に対しても、上に対しても厳しく筋を通す人だった。

ただ、籾井さんが前代未聞の田舎者だということが判明するのに、そんなに長い時間はかからなかった。

ある朝、僕たちは喫茶店に入ってモーニングサービスを取ろうということになった。

ふてくされたウェイトレスが来て、

「モーニングは、AセットとBセットと二種類ありますけれど」

と言った。

「どう違うの?」

「Aは、コーヒーとトーストとゆで玉子、Bはコーヒーとハムエッグとトーストになっています」

僕はゆで玉子よりハムエッグの方が何となく得なような気がしたので、

「じゃ、僕Bセット」

と注文した。籾井さんもすかさず、

「わしもBセットね」

と言った。

コーヒーが来るのを待ってる間に、籾井さんは妙に真剣な面持ちで僕の方に顔を寄せると、

「なあ、中島クン。ハムエッグって何じゃ？」

と尋ねたのだった。

同じく喫茶店で昼メシを食おうということになって、二人でピラフを注文し、運ばれてきたピラフを見るなり、

「何じゃ、ピラフをたのんだのにヤキメシが来たじゃないか！」

と騒いだこともあった。

よんどころない事情があって籾井さんと会社の女の子数人とイタリア料理店に行ったときはもっと大変だった。

ラザニア、ミネストローネ、ボンゴレ、カルボナーラなどの片仮名の並んだメニュー

を前にして、籾井さんがすわった目付をして黙り込んでいる。

女の子たちは、籾井さんがあんまり長い間黙り込んでいるので、不審そうな顔をし始めた。


僕はさりげなく助け舟を出すことにした。

「籾井さん。これ、ここのビーフシチューなんかだったら無難なんじゃないですか?」

すると、籾井さんは僕の方にすわった目をふり向けて、

「シチューって何じゃ!?」

と店中に響き渡るような大声で言ったのだった。

籾井さんには、加えてどことなくこすっからいところもあった。

今日は何にも仕事がないな、という日がある。

そんなときでも、籾井さんは、部長に見えるように、目の前にパッと自分の手をつき出して、

「今日は、一軒、二軒、三軒、四軒、五軒、六軒、七軒、八軒か。よしっ!!」

と指を折りながら叫ぶのだ。そして机をバシッと叩くと、

「中島クン、何してる。行くぞっ!!」

と絶叫して会社を出て行くのである。

そんな日は、阪神高速の環状線を一日中走りまわる。運転手は僕である。籾井さんは

リクライニングシートを目一杯たおして横でひっくり返っている。そしてときどき訳のわからないことを言うのだ。

「おい中島クン……」

「はい、何ですか、籾井さん」

「このまま、どっか山へ行かんか」

「山へ……ですか」

「そうや。誰もおらんような山の頂上へ行ってやなー」

「はあ……」

「ワシをケモノのように犯してくれんか」

そんなとき、車は高速の上で急にジグザグ運転を始めて、もう少しでガードレールに激突しそうになるのだった。

僕と籾井さんは、ほとんど時を同じくしてその会社をやめた。

僕はある日突然、家でテレビを見ている最中に、何の理由もなく、

「あ……やめよう」

と思って、次の日に辞表を出したのだが、籾井さんの方は家の事情なんかもあってずいぶん前からその気でいたらしい。

故郷の田川市で人に頼んで秘《ひそ》かに就職口をさがしてもらったりしていたらしいのだが、何でも田川には「タビの裏を造っている工場」一軒しか就職口がなくて、悶々《もんもん》とした日々を送っていたらしい。

僕は当時、コピーの勉強をしていて、これなら何とかなりそうだし、紙運びよりは楽そうだという漠然とした想いがあった。

「籾井さん、やめるついでに僕、会社の金で自分の名刺作っちゃおうかと思ってるんですけどね。〝コピーライター　中島らも〟っての……」

「おっ、いいなあ、ワシも作りたいな、そんなの」

「でも、籾井さんの場合、肩書きどうするんですか」

「そうだなあ。田川へ帰っても、当分次の仕事みつかるまでは家の百姓の手伝いだからなあ」

「じゃ、〝百姓　籾井守〟ってのにしたらどうですか」

「バカッ！　お前はバカか。〝百姓〟なんて名刺出して飲み屋の女の子にモテるわけがないだろうが」

「そうですよねえ。…………。じゃ、横文字に直して、〝フリー・ファーマー〟ってのはどうですか」

「なに？」

「〝フリー・ファーマー〟」

「おっ、それ、いいな。二百枚ほど作っといてくれ、中島クン」

結局、籾井さんはサンゼンと光る〝フリー・ファーマー〟の名刺を胸に、ニコニコしながら九州へ帰って行ったのだった。

僕はと言えば、それから九カ月というもの、「最低のチンピラ」で毎日を過した。毎日、錠剤をビールで流し込んではディスコに出かけた。

そのうちヤクの売人と勘ちがいされて、家の電話が盗聴されるようになった。

九カ月間の収入は、ギターのコピーを書いた三万円だけだった。残りは失業保険と、少しの貯金でまかなった。

年末になって、モチを買う金がないのに気がついた。モチが買えないくらいが、これほどこたえるとは思わなかった。

年が明けてから、今の会社にしけ込んだ。

タイムカードがないというのがすごくうれしかった。

今日は、やたらに忙しい日だ。

午前中に雑誌の全面広告を二頁分と、エッセイを二本と、マンガを一本書かないといけない。どれも今日を超えると、誌面が白で出るというスリリングな状況らしい。

昼から新聞社のお呼びで、えらい人相手に講演を一発ぶたないといけない。しゃべることを何も考えていない。テーマは「明るい家族論」という。大笑いだ。

その後、ラジオのレギュラーの一時間番組の録音がある。構成もやっている。何も考えていない。

さすがに何となく髪の毛が逆立ってくる感じがする。

やけに電話が多い。

ジリリリーン！

「はい、もしもし、日広エージェンシーです」

「あー、中島さん？　○○放送の谷川です」

「あ、ごぶさたしています」

「ごぶさたやねえ。どう？　忙しい？」

「はい、おかげ様で、何やかやめちゃくちゃに忙しいです」

「けっこうやねえ。今日午前中会社にいたはります？」

「あ……はあ。いることはいるんですが、締切りがものすごくたまってまして、ちょっと手が離せないような状況でして、その。いらしてもお相手できる時間が、ちょっと……」

「ああ……そう。そしたら、まあ、ブラブラ寄せてもらいますわ」

「……え!?」

まったく、何を考えてるんだろう。いや、何か考えていると思う方がまちがっている。とにかく、谷川氏がくるまでに雑誌のコピーとエッセイの一つくらいだけでも仕上げておかなければ大変なことになりそうだ。

僕はトライアスロンに挑む高石ともやのような顔で、猛然と原稿用紙に向う。

「おい中島よ……」

ソファの方から、社長の声が聞こえる。

「あ……はい。何でしょう」

「お前、ちょっとこっちへ来てみい」

「は……はい」

シブシブ、僕はエンピツを置いて、社長の寝そべっているソファの方まで出むいていく。

「何でしょうか……」

「お前な、この植木見てどう思う?」

「え?　植木ですか……」

ソファの側《そば》に、でっかいシュロの樹の植木鉢が置いてある。

「どうって……別に……」

「わからんか……。このシュロ、この前まで何かバァーとむさ苦しい感じで繁っとったやろうが」

「そ、そうでしたっけ」

「そうや。今、見てみい、葉っぱがみんなスッキリしとるやろが」

「そう言われて見れば、そうですね」

「切ったんや」

「え？」

「わしが先週切ったんや。葉っぱ全部な。ハサミで……」

「はあ、そうですか……」

「そうや」

そういうと社長は満足気にシュロを眺め、それからハァーッと酒臭いため息を一つついた。

僕はよく事態が把握できないまま、大急ぎでデスクに戻り、原稿を書き始めた。

「まいど、ごぶさたしとります」

谷川さんの顔がドアのところからヌッとあらわれた。

僕はしばらく呼吸を整えてから、精一杯の笑顔をつくって、ゆっくりと谷川さんの方をふり向いた。

「どうもっ！　ごぶさたしてます」

「いやー、強いねえ、阪神！」

谷川さんはニコニコしながら言うと、それから約三十分、いかに阪神が強いかについてしゃべりまくり、最後にポツリと、実は自分はヤクルトファンだということをつけ加え、同じようにニコニコしながら帰って行った。

そのほかに、リコピーのセールスマンと生命保険のおばさんと、近くを通りかかった後輩のコピーライターが来た。

その合い間を縫って、僕は何とか、雑誌のコピーとエッセイと四コママンガをでっちあげた。

メシはもちろん食っていない。

フラフラしながら、講演会場へ向う。

会場の入口で、主催の新聞社のえらい人と何人も名刺交換をする。

会場に入ると、ずらっとおじいさんばっかりが並んでいる。

いったい何なんだ、これは。

しゃべり始めようとして、

「えー、私は……」

と言って、ふとマイクの先を見ると、ハエが一匹とまっている。

思わずそのハエをジーッと見つめてしまう。僕がふいに黙ったものだから、場内のおじいさんたちの間に、何やら異様な緊張感が走る。

僕はつい我を忘れて、まだそのハエを見つめている。と、殺気を感じたのか、ハエがプーンと飛びたった。目で追う。

会場中の目がそのハエに注がれる。

ハエは空中を一まわりした後、何を思ったのか、僕の頭の上にピタッととまった。

一瞬、僕の顔が驚きで痴呆《ちほう》のようになる。

会場中に、雷鳴のような大爆笑が炸裂《さくれつ》する。


やや遅れて、ラジオ局のスタジオに入る。

スタッフ一同がノンビリとアイスコーヒーを飲んでいる。

「あっ、お早うございます。中島さんも、何かお茶取りはります?」

「いや、いいよ。ダボダボやから」

「今日のテーマ、決まりました?」

「うん、今日はね、ちょっと変わったテーマでいきたいんやけど……」

「へえ……。何ですか?」

「〝昆虫〟っていうテーマでね。特に〝ハエ〟を中心にしていこうと思うんや」

「へえ、それは変わってますね」

「うん、ちょっとね……」

十月八日（火）

「ん？」

がばっと顔を上げると、目の前にノブ岡崎のバカデカイ顔がある。

「おい！」

大声で呼ぶと、ノブがうっすらと目をあける。白目がまっ赤に充血している。

「あ、お早うございます」

「お早うはいいけどさ、ここはどこや」

「どこやって、僕の家やないですか」

「お前、こんな立派な家に住んでるのか。親が金持ちなのか」

「中島さん、昨日、それ三回ぐらい言ってましたよ」

「そうか。僕は五回は言わんと気がすまん性分なんや。それでどうなんや、親が金持ちなんか」

それにしても冗談抜きですごいマンションだ。四部屋か五部屋あるんじゃないだろうか。居間の真中に何の役にも立たない分だけばかでかいオブジェが鎮座していて　そこに僕の脱ぎ散らした上着とズボンがひっかかっている。

壁面はインド産らしいつづれ織りで覆われていて、ところどころにアクセントのように細密画《ミニアチュール》がかけられている。

シンセサイザーのモジュールが無造作に床に転がっている。

電話はコードレスだ。京セラの違法販売で有名になった奴《やっ》だ。

「いややなあ、そんな金持ちやないですよ。うちの親……」

「嘘《うそ》つけ！　放送作家やってる人間がこんな家に住めるわけないやろうが」

ノブは、「月光通信」という番組の構成を僕と一緒にやっている。昔はブルースバンドのギターをやっていて、その後小坂明子のマネージャーをやっていた。

アイデアの出ないときは、その出がらしの原稿をワープロでピシッと仕上げて体裁で誤魔化《ごまか》すという、なかなかヤリクチをよく心得た放送作家だ。

昨日、二人で「蝿《はえ》」をテーマにした番組をでっちあげた。手をすりすぎて指紋の無くなったショウジョウバエとか、ハエトリグモに恋した銀バエの話とか、口をあけると中からハエが飛び出すのでフマキラーを口臭除去剤のかわりにスプレーしているうちに殺虫剤中毒になってしまった男の話とかで一時間分を何とか持たした。

それからアシスタントのサホと（彼女はニュー・ミュージックのシンガーなのだ）マ

ネージャーの清瀬さんと、レコード会社のサホ担当のサノとノブとで例によって「お疲れさん」をやりに行った。

但馬《たじま》牛をバカみたいな値段で出す店で、鯨飲牛食をした後、ヨ、コ、モ、ジが集まるので知られているバーにしけ込んだ。

店内は、ほんとに見事にヨコモジ者ばっかりだった。

ヒゲの先にビールの泡をつけて三年前に行ったネパールの話をクドクド話して嫌がれている奴。アクアタリアニズムの効用について大酒を飲みながら説明している奴。客が入ってくるたびに、

「よっ、○○ちゃん！」

を連発している奴。

スタイリスト、コピーライター、フォトグラファー、ディレクター、CFプランナー、グラフィック・デザイナー、ミュージシャン、ストリッパー、フリー・ファーマー、プッシャー、ペデラスティ、ETC。

どいつもこいつもハッパ顔で、

「あたいはタダモノじゃないんだよ」

という言葉がノドまで出かかったツラでジンをなめている。

連中は闘っている。店の雰囲気が勝つか、自分の存在感が勝つか、血管をアドレナリ

ンでたぎらせて空気と格闘している。

僕の一番苦手なタイプの店だ。どうも尻《しり》の座りが良くない。いっそのこと尻を出して

そこら中を踊り回りたくなってくる。

横でレコード会社のサノの得意ワザの「説教酔い」が始まった。サホに一生懸命説教

している。

「だからね、そんだけ大きな胸してるんだったらしてるで、らもさんが見て、乳のひと

つもモミたいな、と思うような、そういうオンナになりなさいっつってるの。わか

る？」

サホは、もの凄《すご》い量のサラサラした髪をバサッとかき上げると、キリッとした顔をし

て、

「そんなの、わかんない」

と反論している。

あったりまえだ。何で僕がチチをもまないといけないんだ。そうしたいのはヤマヤマ

だけれど、一応僕はケモノではないのだ。

僕はノブと、もし愛川欽也から「金をやるから君の顔の上にウンコをさせてくれ」と

頼まれたとして、いくらなら引き受けるかという話を始めた。

ノブはかなり長い間考え込んでいたが、

い？」

「とりあえず、百万円……」

と答えた。

「あれは、髪の毛に匂いがついて、なかなか取れないってゆうのは聞いたことあるけど、思いきってスキンヘッドにしちゃったらいいんだから、百万円はちょっと高いんじゃない？」

「でもねえ、愛川欽也ですよ、相手は」

「宮川左近が相手やったら？」

「うーん。まだ許せるからな、あの人。僕、わりと好きですねん」

「どうするの？」

「うーん、ぐっとサービスして八十万！」

それから話は、実際に今、入用な金がどれくらい要るかという、内ブトコロに飛び込んでいった。

ローンの話や、買いたいバイクの話が次々と出るうちに、八十万は五十万になり、三十万になり、そして今晩の飲み代の話に話題が落ちついたところで、とうとう「三万五千円」という底値がついた。

ノブは三万五千円で愛川欽也のウンコをかぶらねばならないことになってしまった。

「いいか、そのままそこに座ってろよ。今から11ＰＭのスタッフに電話して、愛川欽也の家の電話番号聞くからな」

「ちょ、ちょっと待って下さい！」

フラフラと立ち上がりかけた僕にノブがタックルをかけてきた。僕の目が本気だったのを素早く見てとりやがったのだ。

僕たちはそのまま絡みあって床に倒れ込んだ。

「表へ出ろっ！」

「おう、出てやろうじゃねえか！」

頭の上の方で大声がした。

サノだ。サノがサホから矛先を変えて、隣のテーブルにいた大物の放送作家に絡んでいるのだ。

二人は今にも席を蹴《け》って店を出て行こうとしている。サホのマネージャーの清瀬さんがそれを必死になだめようとしている。

「やらせましょうよ、清瀬さん。やらせましょうよ」

「そうだ、やれやれっ！」

僕とノブが床から清瀬さんに声をかけた。

そういえば、長いことちゃんとしたケンカを見ていないのだ。

サノと放送作家はフラつきながら店の表へ出て行った。

僕とノブはヨロヨロと床から起き上がると、またウィスキーを飲み始めた。

「どっちが強いですかねえ」

「そうやなあ、サノも力は有りそうやけど、何せ相手は体があるからなあ」

「いや、僕はケンカは体の問題やないと思いますよ」

「うん、それは言える。どっちがどれだけ酔っ払ってるかが決め手かな」

「もうそろそろ始まってるんと違いますか？」

「おっ行こう行こう」

僕とノブとサホと清瀬さんはワイワイ言いながら店の外に出た。

出てみると、店の外の暗がりの中でサノと放送作家が握手している。

「よしっ、お前の言うこと、よくわかった」

「いや、俺《おれ》も言い方が悪かった、謝る！」

「いや、俺こそ謝る！」

くそっ、仲直りするなっ！　やるんだったらキチッとやれ、バカヤロウ！

と、まあ、だいたいそのあたりまでは覚えているのだが、その後の記憶がない。

「あの後、どっか行ったっけ？」

尋ねられたノブは、突堤で釣り師に踏まれたダボハゼみたいな目でボンヤリ僕を見て

いたが、

「行ったような気もしますけどね、一軒」

「どんな店だったか覚えてるか？」

「ええ、カウンターだけの小さい店で、カウンターの中に阿闍梨《あじゃり》みたいな格好したマスターがいて、ビルマ人のホステスがいて、ツマミは乳ボーロしか出さないっていう……」

「お前、からかってるのか」

「すいません。ほんとにあんまり覚えていないんです。でも確かに行きましたよ、もう一軒。ウーロン茶、飲みます？」

「くれ、くれ。ヤカンごとくれ！」

「腹減ってませんか？」

「そういう、人間らしい状態と違うみたいや」

「この近所にね、オムライスの有名な店があるんですよ」

「オムライス？」

「日本で一番最初にオムライスを出し始めた店でね。伊勢《いせ》エビのオムライスなんてのまであるんですよ」

「伊勢エビのオムライス？　いくら、それ」

「三千六百円です」

「食ったことあるの、それ」

「あるわけないでしょう、そんなもの！」

ノブは自慢そうに答えた。

僕は、姿盛りになった伊勢エビの腹のところに、こんもりとオムライスがのせられた大皿を想像してみた。そしてトイレに入って酸っぱい水を吐いた。


会社に着くと、もう十二時だった。

ドアをあけると、ソファに社長がグッタリとなって寝ていた。

「おはようございます」

「おはようやないやろうが。電話の一本くらいよこさんかい」

「すみません」

「また飲んどったんか」

「はい」

社長は酒臭いため息を一つ吐き出すと、

「お前、最近ちょっと飲み過ぎとちがうか？　え」

と言った。

「はあ……」

「うん、わしゃ、そう思うで」

そう言うと社長は、クルッと寝返りをうって、

「オエッ、オエッ！」

とえずいた。

二時頃まで伝票の整理をした後、僕はコピーの資料集めに行ってくるという名目で会社を出た。

サウナに行くつもりなのだ。

ポケットに手を突っ込む。金はある。昨日の講演の謝礼とラジオのギャラがまだいくらか残っている。

サウナはホテル阪神の地下にある。

入浴料を払って、ガウンに着替えると、そのまま長椅子《いす》に折れ釘《くぎ》のような姿勢で倒れ込んだ。

こんな体調のときにサウナなんかに入ったら、それこそ本当に昏倒《こんとう》して死んでしまうかもしれない。

体は疲れているのだけれど、頭の芯《しん》の中にいがらっぽく切り立ったものがあって、なかなか眠れない。

テレビの野球の音がうるさい。

サウナの中には、何人か僕のご同輩のような、よれきったサラリーマンがドロリとした目つきをしてくたばっている。

ここはサラリーマンの墓場だ。

「よおっ、久しぶり!」

か何か大声で言ったら、心臓がとまりそうになってとび起きる奴ばっかりに違いない。

みんなが後ろめたい眠りをむさぼりにやってくるのだ。

その後ろめたい眠りが、なかなかやってきてくれない。

羊が一匹。

羊が二匹。

羊が三匹。

羊が四匹。

……

羊が四万三千百九十二匹。

会社に朝、ゲッソリと頬《ほお》のこけた経理課長がやってくる。無精ヒゲのまん中に目だけがギラギラ輝いている。手には柳刃の包丁を持っている。

「羊が四万三千百九十三匹……」

そう呟《つぶや》きながら課長は、あいさつをしようとして腰をかがめたＯＬの背中に、ドンと包丁を突き立てた。

「羊が四万三千百九十四匹」

そう言いながら、課長はゆっくりと経理部長の席へと進んで行った。

「羊が一匹」と言って遠泉達夫が眠った。

「ひつ……」と言って今井好蔵が眠った。

「ひ……」と言って島袋たえ子が眠った。

「人間が一人」と羊が樹《き》の下で呟いた。


赤裸にむかれた羊が、メエメエいいながら廃工場の中から駆け出してくる。

空はどんよりと暗い。

廃工場の中では、赤ら顔の男が二人、ものすごいスピードで羊の毛を刈り上げている。

そのまわりを二、三十人の老人たちが取り巻いて、さかんに声援や罵声《ばせい》を投げつけている。

二人の男の前にはバケツが二つ置かれ、その中に老人たちの手から次から次へと銅貨や金貨が投げ込まれている。

二人の男は汗だくになって羊の毛を刈り上げていく。そのスピードはほとんど変わらない。あたりにはツンときつい安ウィスキーの匂いがあふれている。

「羊が三十二匹！」

「羊が三十三匹！」

老人たちの歯の抜けた口から興奮した喚声が湧《わ》きおこる。

「羊が三十四匹！」

「羊が三十五匹！」

山のように盛り上げられた羊毛の山が二つ。それが微風に舞って、廃工場の中はソフトフォーカスの画像のようにフンワリとしている。

僕はたてつづけにクシャミをした。羊毛が鼻の穴に入ったのだ。

「おい、どうだい、若いの。あんたもいっちょう張らんかいね」

ウィスキーの入った紙袋をすすめながら、老人の一人が僕に話しかけた。

「今んとこ、マッケンジーのせがれが四分六で頭抜いとる。だがな、ワシは右側のクォーリーに賭《か》けとるんだ。こいつぁ、内緒の話なんだがな、マッケンジーのせがれはヒジを痛めとるんだ。どうだい若いの。たまにゃいいウィスキーでも飲んでみたら」

しつらえられた柵《さく》の中から、次々と羊が引っ張り出されてくる。

そして何分後かにはクシャミでもしそうな丸裸になって、その辺をメエメエ鳴いてうろつきまわる。

「羊が四十一匹！」

「羊が四十二匹！」

老人たちの声援はいや増しに盛り上がっていく。

熱っぽいその風景を眺めているうちに、僕は自分が何をしにここへやって来たのかをおぼろげに思い出した。

羊を探していたのだ。

「あの、こんなときに申し訳ないんですけれど……」

「ん？　ウィスキーなら遠慮なくやっていいんだぜ」

「いや、そうじゃなくて、僕は羊が一匹欲しいんですが……」

「羊が欲しい？　買うってことかね？」

「ええ、そうなんです」

「ほ、ほう。そいつぁ、いいところに来たもんだ。さ、どれでも持っていきなよ。毛がねえんだから、少しは安くしとくよ、若いの」

老人は、その辺をウロついている赤裸の仔羊《こひつじ》を一匹、ひょいとつまみあげて見せた。

そいつは、どこか胎児を思わせるような動きでもがいた。

「いや、僕が欲しいのはそういうのじゃなくて、毛を刈る前のフワフワッとした奴なんですよ」

「毛を刈る前の奴なら柵の中だな。ありゃっ！　こいつはまずいぞ？」

老人は柵の中を見て、素頓狂《すっとんきょう》な声で叫んだ。

柵の中には、羊が二匹しか残っていなかったのだ。

「羊が四十九匹、四十九匹!!」

廃工場の中は興奮で煮えたぎっていた。

勝負はまったく互角のまま進んでいたのだ。

マッケンジーのせがれとクォーリーがにらみ合っているところへ、それぞれ五十四匹目の羊が引っ張られて来た。

「若いの、残念なことしたな。あれで毛の生えた羊は最後だよ。よしっ、いいぞっ、いけいけ、クォーリー！　ケツの毛まで刈り上げちまえっ！」

マッケンジーのせがれとクォーリーはそれぞれの羊を不機嫌につかむと、クルッと仰《あお》向《む》けにし、腹の方から力一杯バリカンを当て出した。

「羊が五十四！」

「羊が五十四！」

「羊が五十四！」

割れるような大喚声が廃工場の中を満たした。

二匹の羊が丸裸にされて解き放たれたのは全く同時だった。

廃工場を満たしていた大喚声は徐々に鎮まっていき、やがて静寂がドームの中をおおった。

「引き分けだ……」

僕の隣の老人が呟いた。

「こんなことは初めてだ」

遠くの方から声がよぎった。

「冗談じゃねえ。俺の金はどうなるんだ。引き分けなんてのがありなら、最初っからこんな勝負なんかするもんかよ」

そうだ、そうだ、という声が一斉に上がった。

「おい、マッケンジーのせがれ、クォーリー、もう羊はいねえんだ。そいでも勝負がまだついてねえ。こうしようじゃねえか。お前たちが最後の羊なんだ。どっちか、相手の頭を先に刈りあげちまった方が勝ちってのはどうだい」

隣の老人が叫んだ。

ウォーッという喚声と拍手が湧きおこった。

クォーリーは、ニタッと笑うと、羊毛まみれのバリカンを頭上にかざして場内にあいさつをした。

マッケンジーのせがれは、その間にもう腰を低く落として臨戦体勢に入っている。ジワジワと二人はバリカンで相手を威嚇《いかく》し合いながら間合いを詰め始めた。

そして、取っ組み合いが始まった。

組み合ったなり、二人は傍《かたわ》らの羊毛の山の中にもつれ合ったまま倒れ込んだ。細かい羊毛がブワッと舞い上がり、廃工場の中を満たす。

老人たちは、今にも切れそうなほどにこめかみの血管を膨らませて手を打ち振っている。

ジジジッという短い音が羊毛の山の中から聞こえた。どちらかが、相手の頭髪を少しだけ刈ったのだろう。

僕は少し呆《あき》れて、場内の乱痴気騒ぎを見渡していた。

ふと見ると、羊を囲っていた柵の奥の暗がりで、何か白い小さなものが動いている。

「何だろう」

僕はしばらくその暗がりの中を見詰め続けた。

すると、そいつはトットットットッと元気な足どりで、暗やみの中からスキップして走り出してきた。

白い小さな、フワフワした仔羊だった。

そいつは迷う様子もなく僕の前まで走り寄ると、ピタッと止まって僕の顔を見あげた。僕は何となく涙の出そうな気分になって、その百一匹目の仔羊を抱き上げた。

そいつは腕の中で、小さく「メエ」と鳴いた。


廃工場を出て、しばらくして振り向くと、そこからはまだ老人たちの興奮した合唱が聞こえてくるのだった。

「羊が二匹！」

「羊が二匹！」


僕はフワフワした仔羊を膝《ひざ》の上に置いて、海岸線を走る電車に乗っていた。

暗い海景が見える。

灰色の雲の流れが早まわしのフィルムのようだ。嵐《あらし》が来るらしい。

ガランとした車内には、詰襟の高校生が一人と、昏々と眠り続けているお婆さんがいるだけだ。

「おい、中島。嵐になりそうだぞ」

向いの高校生が横柄な口をきいた。

見ると、中学の同級生の中村だ。

「そうらしいな。大きな嵐かな」

「大きいも何も、お前、あの波を見てみろよ」

中村は窓の外を指さした。

見ると海岸線のすぐ間近を走っている線路を洗うぐらいのところまで、激しい白波が打ち寄せている。

「これじゃ、学校に着けないぞ」

「ああ……。着けないかも知れない」

「遠回りをして知らない電車に乗ったのが悪かったんだ」

「おい、あれを見ろ！」

「え？」

海の向うから、とてつもない波がこちらへ向っていた。遠目に見ても、四、五階建てのビルくらいの高さはあるようだ。

「津波だ……」

中村はなぜか口元に薄笑いを浮かべながらそう言った。

波はどんどん近づいてくる。

やがて、走る電車のほんの間近まで迫ってきた。白い波頭は電車の窓から首をかしげても見届けられないくらいの高みにあった。

電車のガラス窓が白い泡と海水でさえぎられて何も見えなくなり、車体がガクンと揺れた。

僕は膝の上の仔羊を力一杯抱きしめた。

衝撃が過ぎた。電車は何とか脱線せずに海岸線を走り続けている。

後から後から高波が襲い始めた。

その小山のような波の合い間を縫って、電車は永遠に続く海岸線を走り続ける。

車輛《しゃりょう》の隅ではお婆さんがまだ昏々と眠っている。

ふっと気がつくと、電車は夜の闇《やみ》の中を走っていた。

車内は黄色っぽい電灯に照らされている。

あたりを見回すと誰《だれ》もいない。

どうしたんだろう。

窓の外はまっ暗だ。ときどき遠くで稲妻が光っている。その光に暗い田園が浮かび上がる。

どこか、とんでもない田舎を走っているらしい。

そのうちに、点々と家が見え始めた。

丸いワラぶきの、異様に背の低い家々。

日本の風景ではない。どこか、とても寒くて雪の多い、冷酷な風の吹く国の風景。

「そうだ、僕は国境を越えてしまったんだ」

眠っているあいだに、電車と一緒に辺境の国境線を越えてしまったのだ。

中村も、嗜眠症《レタルギア》の婆さんも、どこか国境の手前で降りたのに違いない。


やがて電車は仄暗《ほのぐら》いホームに滑り込んだ。

それは駅とはとても呼べない代物で、レールの両側に土で固めたホームがあって、その上をやはり異様に低いワラぶきの屋根がおおってあるだけの造りだった。

屋根を支えてある支柱に板きれが一枚打ちつけてあって、どうやら駅名らしきものが書き込まれているらしい。

見たこともない文字だ。

どうも、東洋のどこか奥の方、ウイグル自治区とかそういう所のような気がする。

それに電車がいつまでたっても動き出さないところをみると、ここが終点なんだろう。

僕は膝の羊を抱き上げてホームに降りようとした。ずいぶんと重い。それに冷たい。見ると、さっきまでフワフワと僕の膝を暖めてくれていた仔羊は、石英の塊《かたまり》になっていた。ところどころがキラキラと冷たく光っている。

僕はホームの土の上にその仔羊石英をそっと置いた。それから、こいつの全身が水晶に飾られるのに何年かかるのかを考えた。

煙草《たばこ》に火をつけてあたりを見回す。

稲光りに照らされて、黒々とした民家がところどころにうずくまっている。

通りに人影はない。

「ずいぶん、とんでもない所に来てしまったな……」

僕は煙草が指を焦がしそうになるまで、そのままボンヤリしていた。

「もう、学校には行けないいな」

と思った。

正直言って、どうしていいのかよくわからなかった。


汗びっしょりになって目が覚めた。

ガウンがグショグショになっている。

頭は少しスッキリしている。サウナに入って、しばらく国境の駅に置いてきた仔羊のことを考える。高波の中を走り続けた電車のことを考える。

何だか取り返しのつかない気分がする。

三段腹のおっさんたちの間で、僕は額からボタボタと汗を流している。

サウナを出てから梅田まで歩いて「キリング・フィールド」を見た。

映画館の中でも僕はほとんど眠っていた。

ときどき、戦争シーンか何かで音量が大きくなると、ボンヤリと目を覚まして画面を見た。見ていると、ほんとうにブラインドが降りるようにマブタが落ちてくる。

結局、映画も夢も見なかった。


映画館を出ると、外はもうまっ暗闇だった。

時間を確かめたくて時計屋のショーウインドウを覗《のぞ》いてみる。

あらゆるスタイルの時計が、あらゆる時刻をてんでに差し示している。

「時計でございますか？」

おっさんが、したたりそうな作り笑いを浮かべて店先に出てきた。

「いや、今、何時か知りたかっただけなんですけど……。ここの時計はみんな狂ってますね」

おっさんは、ムッとした感情をかろうじて識閾下《しきいきか》に飲み下して笑顔をつくり、自分の毛深い腕の時計を差し示して答えた。

「七時十二分ですよ」

「ああ、そうなんですか。どうもありがとう。お宅には鳩《はと》時計はありますか？」

「鳩時計ですか？　鳩時計はねえ、今はないんですけれど、お望みなら最近面白いものも出ておりますよ」

「それはどういうものですか」

「本体は液晶クォーツの普通の時計なんですけれどね、一時間ごとに、下のゲーーが開いて、キューピッドが出てきて踊るんですなあ。可愛《かわい》いですよ」

「ほんとに？」

「ほんとですとも。女学生なんか、キャアキャアいって喜びますよ。ま、ちょっと値が張るんで、あんまり若い人には手が出ませんけどね」

「いくらなんですか」

「正価で五万九千円ほどです」

「二つください」

「え？」

「二つ取り寄せといて下さい。いつ取りに来たらいいですか？」

「ええ……。今日、電話入れとけば、明日の晩には入りますけれど……」

「六時くらいに来て、もらえますか？」

「はい。六時なら」

「じゃ、明日の六時ね。よろしくお願いします」

「あっ、ありがとうございます」

おっさんはイソイソしながら店の中へ帰って行った。そりゃ、うれしいだろう。明日の晩には十一万八千円が入るのだ。きっと前祝いに今晩その半分くらい飲んでしまうのに違いない。

まあ、いい夢を見るこった。

会社に念のために電話を入れてみる。

もちろん誰も出やしない。

もう一本、雑誌社に電話を入れる用事を思い出して、内ポケットからアドレスブックを取り出す。

「もしもし、広告の早見さんおいでですか？」

「あ……早見は今、出ておりまして、帰りは十時くらいになるようですが。失礼ですが……」

「いや、出先ですのでまたお電話いたします」

しばらくそのまま黄色い公衆電話の傍に突っ立っている。

黒い表紙のアドレスブックをパラパラめくっていく。

ABC、RKK、KBC、JRT、KTN、NBC、RNC、MRO、KNB、ITC、KKT、FTB、MBS、YTV、WBC、FBC、ANB、SF、CBC、OH

K、KTV、BBC、CIA、KKK、KGB、ETC。
エキスプレス、エトワスクリエイト、朝日新聞、松竹芸能、吉本興業、ジャニーズ事務所、宣伝会議、電通、電通映画社、東急エージェンシー、第一企画、ブッシュマン、フリーマーケット社、人力舎、日経新聞社、エルマガジン、プレイガイドジャーナル、ぴあ、JICC出版局、東洋紙業、ペリカンクラブ、東映CM、渡辺プロ、ディレクターズカンパニー、チャンネルゼロ、仲畑事務所、月刊プレイボーイ、水落、中野裕之、松江、稲葉、仁喜、黒田、村上、八幡、中山、大谷、久内、岩崎、忠兵衛、市川、山口、高取、飯田、スーザン、蛇ノ目、永井、増田、島崎、まつい、桐山、山内、梅沢、前田、太田、新谷、村山、穐《あき》山、牧野、寺島、原、土橋、北村、伊藤、みうら、泉、石丸、沼田、景山、宮本、鈴木、栗原、中山、大山、宮沢……。


指がそのうちのどれかの番号を回している。

どこか遠い所で呼び出し音が鳴っている。

切りかけた頃に、受話器があがった。

「はい……」

女が出た。

受話器の向うでカラカラと水割りの氷の音がする。

「飲んでるの?」

「だれ?」

「先に質問に答えないと。飲んでるの?」

「はい、飲んでますよ。ね、誰なの?」

「ごめん。中島です」

「久しぶりじゃない。何してるの」

「いや、何もしてないけど。久しぶりだったから。出てこない?」

「うーん。顔見たいけど、今日はパーティするからダメなのよ。ね、こっちへこない?」

「いや、僕もそんなに時間ないから」

「そう。残念ね。じゃ、こんどまた電話ちょうだいよ」

「うん、そうします」

「じゃあね」


東通り商店街へ向って歩きながら、僕は考えた。

今のは誰だったんだろう。


「あら、いらっしゃい、久しぶりね」

カウンターの中でヒコちゃんがヒゲをなでながら言った。

「あれえ、ずい分やせたんじゃない？」

「みんなからそう言われるのよ。そんなにやせたかしら」

「やせたよ。おかしいよ。癌《がん》じゃないの？」

「みんなからそう言われるのよ。でもね、おあいにくさまなの。フフフ」

ヒコちゃんは含み笑いをしながら、ヌッと顔を近づけると、僕の耳元にささやきかけた。

「したのよ。ダ・イ・エ・ッ・トッ!!」

「ダイエットって……。何したの」

「マンナンとやせるスープとナワ飛びよ」

「しかし、いくら何でも一カ月やそこらでそんなにやせるワケないじゃない。ほんとに大丈夫なの。あ、そうか。今までが副腎《ふくじん》皮質ホルモンの取り過ぎで満月症だったんだ」

「しっつれいねえ!!　そんなんじゃないわよ。ほんとはね、隠し味に利尿剤を併用したのが効いたのよ」

「利尿剤？」

「これなの。ほら、僕って水脂肪体質でしょ？　だから……」

ヒコちゃんは引き出しから小さなピンクの錠剤のタブレットを出して見せてくれた。

「ふうん。これを飲むとションベンがバシャバシャ出るわけか……」

「いやだ。品のない表現だと思うわ。返してよ、それ」

「こんなもの飲んで、メシも食わないで酒ばっかり飲んでたら、そのうちほんとに病気になるよ」

「ありがとう。もうそろそろやめるわよ。美しくなれたし……。水割りでいい？」

「いや、ハイボールにしてくれる？」

「キャーッ！」

「何が〝キャー〟だよ」

「ううん、意味もなく叫んでみただけよ」

少し薄目のハイボールを、ビールを飲むようにゴクゴクと飲んだ。サウナなんかに入ったからノドがカラカラだったのだ。

二杯目をたて続けに飲み終えると、腹の中心から熱い溶岩みたいなものが広がり出して、昨日の酔いが大雪崩《なだれ》をともなってぶり返してきた。インディアンの斥候をおちょくっていたら、そいつが大軍を引き連れて引き返してきたような感じだ。

「早見優ちゃんの新しいシングル入ったわよ。聞く？」

「是非聞かしてくれ。早く聞かしてくれ」

「ＫＩＤＳ」の主題歌を聞きながら、ぼんやりと店内を眺める。

カウンターは「コの字」型になっていて、部屋の隅っこには女性雑誌が天井に届くくらい積まれている。

そこからゆっくりと右側に目を移した僕は、そこにある物を見て、口に含んでいた三杯目のハイボールをブワッと吹き出した。

「キャー、いやーっ、汚ぁい!!」

「ちょ、ちょっと待ってくれ。あれは何だよ、あそこにあるのは」

それは野球帽をかぶったヒゲ面の外人男の、首だけの巨大なハリボテだった。天地が八十センチ、左右は六十センチはあるバカデカい顔がこっちを睨《にら》みつけている。眼球と口の部分にポッカリと暗い穴があいている。

「ああ、あれ？『バース君』よ」

ヒコちゃんはつまらなそうに答えた。

「『バース君』って……。阪神のバース？」

「そうよ。読売テレビのツジ知ってるでしょ？」

「知ってる」

「あいつが持ってきたのよ。ツケの形《かた》に……。番組で使って、もういらないからって……」

「こんなものが何でツケの形になるんだよ」

「造るのに四十万くらいかかってるんだって。阪神ファンの人なら絶対欲しがるっていうんだけど、どうかしらねえ……」

「そういや、阪神の試合見てると、いっつも真弓のハリボテかぶった奴がいて応援してるな」

「いるわ、『真弓君』」

「これも頭にかぶれるんだろ？　ちょっと貸してみてよ」

「内側に工事用のヘルメットが取り付けてあるのよ。それでアゴのところのヒモで固定するのよ」

「なるほど、なるほど」

『バース君』のかぶり心地は案外良かった。目の部分の穴と、口の部分の空洞から十分に外の様子も見える。

「これなら、口のところから酒が飲めるぞ」

僕はすっかり嬉《うれ》しくなってしまって、『バース君』の口の穴からハイボールを啜《すす》り込んだ。

ドアが開いて「藤やん」が入って来た。

「おっ、今日の『バース君』は誰かな？」

どうやら僕みたいな客は多いらしい。

「フォッ、フォッ、フォッ。知らぬが仏ですよ」

それから例によって、今年の阪神は……、というのが始まった。

僕は実は野球のことをまったく知らない。知らないけれど、いやしくも自分が『バース君』である以上、話題を無視するわけにはいかないのだ。

僕は藤やんの熱弁に、ときおり大きな頭を深々とうなずかせながら、黙々とハイボールを飲んだ。

そのうちに女の子三人連れの客が来て、僕の方を見てひとしきりギャアギャアと騒いだ。

僕は何となくハリボテを外すタイミングを逸してしまって、首をユラユラさせながらウィスキーを壜《びん》に半分ほど飲んでしまった。

「ねえ、らもちゃん、大丈夫？　ピッチ早いわよ」

ヒコちゃんが少し心配そうに尋ねた。

「お黙り、この利尿剤！」

「まあ、ひっどいわあ……」

ヒコちゃんは大げさに両頰に手を当ててのけぞってみせた。

「俺はね、『らもちゃん』なんて名前じゃないの。昔のことはみんな忘れたの。今日からは生まれかわったつもりで、このクサったハリボテの大頭で暮すんです。いくら？」

支払いをすませると、僕はその大頭をかぶったままで店を出て行こうとした。

「ちょ、ちょっと何するのよ。そんなものかぶったままでどこ行く気よ。置いてきなさいよ。ちょっとったら!!」

ヒコちゃんの金切り声が後ろでキンキン響いている。吸音性の材質のハリボテで良かった。共鳴したりする奴だったら大変だったろう。


僕は、転倒しないように注意しながらゆっくりと階段を下りると、そのまま東通りへ出た。

視界が狭くてよくわからないが、通りは酔っ払いで一杯だ。

何がうれしいのか、集まってバンザイを叫んでいる大学生の群れ。両方から担がれてかろうじて立っている女子大生。

リヤカーに積んだ段ボールの上に大の字になって眠りこけているおじさん。

肩を組んで奇声を上げながらジグザグ行進をしているサラリーマン。

「放しいな！」

と男の腕をふりほどいて走り出す、ヤンキーの女。大股《おおまた》で追いかけるパンチパーマの男。

食堂のショーケースにジッと見入っているおじいさん。じいさんの連れてる犬。そんな生暖かい流れの中を、僕はゆっくりと歩いて行く。

何人かの人が物珍しそうにこっちを眺めるが、ほとんどの人は気にする様子もなく通り過ぎて行く。

この街にはサンドイッチマンが多い。

ほとんどの店が、日毎夜毎、何とかして人を驚かせようとして秘策を練っている。ハリボテ男が歩いているくらいでいちいち驚いていては前へ進めないのだ。

「おっ、バースや！」

素頓狂な声が後ろで聞こえた。

「何や何や！」

「見てみい、バースやで、これ。バースが歩いとるで」

小柄な影が二つ三つ、僕を追い抜くと、行く手をはばむようにして僕の顔を覗き込んだ。

幼い顔だ。まだ中学一、二年生だろう。

「おっさん、何してるんや」

「どっかの店の宣伝か？」

「おい、テレビとちがうか、テレビと……」

一人が言うと、全員があたりをキョロキョロ見回し始めた。

「カメラないで、どこにも」

「どっかに隠して撮ってるんとちがうか？」

「なあ、おっさん、何やってるねん。返事くらいしたれや」

三人の中でも一番小ずるそうな顔をした少年が、僕のハリボテの口の中に手を突っ込んできた。僕の鼻をつまもうとしているのだ。

「あはは、あはは」

残りの二人がはやしたてる。

僕は、ハリボテの口の中に両手を突っ込んでいるために丸あきになっている少年の腹に、ドスンとパンチを叩《たた》き込んだ。

少年はうめいて二、三歩後ずさると、腹を押さえたまま信じられないような表情で僕の、と言うより『バース君』のにこやかな顔を眺めた。

僕はゆっくりと少年に近寄ると掌底《しょうてい》を使って少年の顔面を思いきり殴った。

すぐに少年の鼻が象のように膨れ上がり、血が二筋したたり落ちた。

少年はそのまま腹を押さえて、ゆっくりと道路の上にしゃがみ込んだ。血がボトボトと路上に落ちている。

残りの二人の少年は、何が起こったのかしばらくわからないようだったが、やがて友人を放ったらかしにしたまま、どこかへ逃げ出してしまった。

まわりに四、五人の小さな人だかりができていたが、僕はかまわずにそのまま歩き始めた。

誰も追ってくる者はいない。

東通り商店街と新御堂筋《しんみどうすじ》が交叉《こうさ》する角で、僕はやっと『バース君』を頭から外すと、そいつを背広に包み込んで脇の下にかかえ込む。

早目にこいつを捨てちまわないとどうも厄介なことになりそうだ。

人気のない駐車場か何かないだろうか。

とにかく移動し続けることだ。

動いて動いて動き続けることだ。


ポンといきなり肩を叩かれた。

心臓が止まりそうになった。

振り返ると、初老のサラリーマン風の男が立っている。見たこともない顔だ。

「刑事だ」

僕は一瞬観念した。これで今晩の宿が決まったと思ったのだ。

しかし、それにしてはどうも様子が変だ。男は気弱そうな笑みを浮かべて、僕から微妙に目をそらしているし、おまけに足元がフラフラしている。どうもずいぶんと酔っ払っているようだ。

「あの、申し訳ないが、千里の方へはどう行ったらよろしいのでしょうか」

ホッとして全身から力が抜けた。まだ年貢を納めなくていいようだ。そのかわりに、今晩の宿泊予定もどっかへ飛んでいったけれど。

「千里なら、この少し行った先が地下鉄の降り口になってますから、そこから御堂筋線の『千里中央行』に乗ってもらえれば……」

男は僕の話を手で制して言った。

「いや、そうじゃないんですよ。歩いて行くにはどう行ったらいいのか教えてほしいんですよ」

「え？　歩いて行くって……。歩くならこの道をまっすぐ北に行けばいいんですけど。ちょっと待ってください。駅にして九つか十くらいありますよ。そんなもの、歩いたら、朝になっても着くかどうかわかりませんよ」

「いや、歩いて帰ります。ありがとうございました。この道をずっと北へ行けばよろしいんですな。まっすぐですな？」

「まっすぐですけど……」

「や、どうもありがとう」

男はヨロヨロしながら歩き出そうとした。

「あの……」

「え？」

「金がないんですか？」

男は振り返って、焦点の定まらない目で僕の方を見た。

「そうですよ？」

僕はポケットに手を突っ込んで、ジャラ銭以外の紙幣を引っ張り出した。

「これ……使ってください」

「いやいや、何を言うのですか。そんなわけにはいかない。そんなことをしてもらうわけにはいかない」

男はロレツのまわらない口調で固辞しようとした。

僕はそのポケットに無理矢理に何枚かの千円札を突っ込もうとする。

「いいから、使ってください」

「いやいや、そんなわけにはいかん」

男はフラフラしながら逃げ出した。僕は追いかけると、後ろからその肩をガッチリつかんで、ズボンのポケットに札をねじ込んだ。

「何をなさる。何をする。そんなわけにはいかんのだ」

「いや、持ってってください。ついでにこれも上げましょう。もういらないんですよ。阪神好きですか?」

「なに?」

「阪神タイガース好きですか?」

「ああ、大好きだよ」

「そりゃ良かった!」

背広に包んで隠し持っていた『バース君』を取り出すと、男は目をまん丸に見開いた。

「な、何ですかな、これは!」

「バースですよ。頭にかぶるようになってるんです」

男はしばらく『バース君』を見ていたが、やがて大声で笑い出した。

「わーっはっはっはっはっ。わーっはっはっはっ。うわあっはっはっはっはっ」

僕もつられて笑い出した。大笑いはなかなか収まらなかった。やがて腹が痛くなってきて、二人は路上にしゃがみ込んだが、それでも笑いは収まらず、しまいにはヒーヒーという息の音しか出なくなった。

少し笑いの発作が鎮まってきた頃、僕は男にハリボテのかぶり方を伝授してやった。

「これはね、こうやるんですよ。そうそう、頭をもうちょっと斜め前にして。アゴのところにヒモがあるでしょう。そいつをギュッとしめてください。それで動かなくなったでしょう」

「おう、こりゃ、なかなか軽くていい」

「そうでしょう。じゃ、僕はここで失礼しますから」

そう言うと、礼を言おうとする男を振り切って僕は早足でその場を去った。

しばらくして振り返ると、ハリボテの大頭をつけた男のシルエットが、ゆっくりと東通り商店街の方へ引き返していくのが見えた。

あれをつけたままで、もう一軒、どこかなじみのバーへでも行こうというのだろう。

東通りから出てきた警官が二人、男を指さしながらゆっくりと近づいていくのが見えた。


ガードレールの上に腰をおろして、僕は通行人の群れをボンヤリ眺めている。

通りに沿ったOA機器のショーウインドウの巨大な一枚ガラスの中は、透明な光に満たされていて、それが道行く人々を青く染め上げている。

街は海底のように蒼《あお》ざめ、その谷間を水母《くらげ》たちの長い行進が続いていく。

もし、今、上を見上げれば、巨大な船の腹が見えるに違いない。

有り得ない岸辺に不定係数で舫《もや》われた有り得ない船の腹。

一年前、僕と田中さんは、山陰の久美浜の岩磯《いわいそ》から、アクアラングを背負って出発した。

海草の原を抜けると、小指ほどの魚の大群がザザッと目の前を通り抜けた。

海底は息苦しくなるほどの色彩の爆発におおわれていて、その中をただ僕たち二人だけが、黒ずんでぶざまに進んで行く。

そして、五メートルくらいの深さを超えると水の色が徐々に暗みを帯び始め、やがて黄昏《たそがれ》時のように風景が不機嫌さを増していく。

深みへ深みへと二十分ほど進んでいった頃、水深が二十メートルくらいになった。

田中さんは僕をつついて、来た方向へ親指を立ててみせた。帰ろうという合図だ。

僕たちは向きを変えると、岸辺をさして戻り始めた。

そのまま十五分ほど進んだところで、僕たちは一旦《いったん》動きを止めた。

いつまでたっても岸に近づいている様子が見えないのだ。酸素はほとんど残っていない。

田中さんが親指で上を指し示した。浮上してみようというのだ。

僕たちは潜水病にかからないように、何メートルかごとに休止しながらゆっくりと浮上した。

水面に顔を出すと、まず抜けるような蒼空が目に入った。

それから僕は、戻ってきた方向を見た。

陸地がない。

見えるのは、やや丸味を帯びた水平線だけだ。

僕はゆっくりと一回りしてあたりを眺めた。

陸はどこにもなかった。見えるのは銀色の水平線ばかりだった。

僕たちは、よく似た海底の風景のトリックにひっかかって、戻っているつもりが沖へ沖へ進んでいたのだった。

僕はもう一度、あたりを見回してみた。

波と波の谷間に、チラッと陸地が見えた。

それは陸地というよりも、砂利くらいの大きさに見える、遠い遠い点でしかなかった。

ガードレールの上にいすぎて、尻が痛くなってきた。

もう少し平たくて、座れて、そしてできれば少し眠れるところを探さなくてはいけない。

この夜が少しだけほころびているところ。運が良ければ、こじ開けられそうなところ。どっちにしてもどこかへ行かなければならないのだ。

煙草に火をつけて、僕はまた歩き始めた。

II　東住吉のぶっこわし屋

あれは、ゴルフを終えた私が、水田部長のワーゲンに便乗させてもらって帰る途中のことでした。混んでいる国道を避けた私たちは裏道裏道を選んで帰ったのですが、それでもその東住吉にさしかかった頃《ころ》には、夜の八時を越していたと思います。俗に「十二間《けん》道路」と呼ばれている、ガランとだだっ広い道路を走りながら、私たちは上機嫌でした。水田部長はしきりに私の、通称「ロボット打法」のことを持ち出しては大笑いするのでした。

こういうふうに水田部長が冗談を言うというのはたいへんに珍しいことなのです。だいたいこの人は硬骨漢でして、口を開けば正論しか飛び出してこないタイプの人で、冗談など薬にしたくもないという感じなのです。そんな水田部長がこうして軽口をたたくというのも、今日は40、43という自己最高のスコアを出したおかげでしょう。

「ワッハッハッ。君のロボット打法も最近ちょっと油が切れてきたんじゃねえのか? 腰のあたりなんか、ギリギリ音がしとったぞ」

べらんめえ口調でポンポンやられて、私が頭をかいていたときでした。信号待ちで止まっていた車の窓から、風にのって男の鼻唄《はなうた》が聞こえてきたのです。

「♬わったし、があぁあっ、さっさあげえた、あ〜のひぃとおにぃ〜♬」

それはひどいダミ声で、遠くの方から聞こえてくるにもかかわらず、ハッキリと聞きとれるので、かなり大声で歌っているものと思われます。

「おいおい。ずい分できあがっちゃってるのがいるよ」

「あの酔い方は、あんまり高い酒飲んでませんな」

「ワッハッハッハ。俺《おれ》も早く帰《けえ》って、冷たいビールで祝杯をあげてえよ」

車がそれから信号を三つほども越えたでしょうか。例の歌声は段々と近くなってきて、つい二十mほど先のところまで近づいてきました。

「おい。ありゃあ、いってえ何だ⁉」

水田部長が背をかがめて前方の闇《やみ》の中をジッと見つめています。つられて見た私の目に、妙なものが飛び込んできました。

チャンチャンコを着た四十がらみの男が自転車にのり、道路の上を八の字型にくるくるくるくるまわっているのです。チャンチャンコの下は裸で、赤銅色の太い腕がニュッと突き出しており、顔は酒焼けしてまっ黒です。そいつがライトもついていない自転車を八の字に乗りまわして、これ以上ないほどの嬉《うれ》しそうな表情で歌っているのです。

「♬わったし、があぁ〜、さっさぁぁげえたぁ、あんのひぃとおぉにぃ〜♬」

徐行しながら段々近づいていくうちに、水田部長の眉間《みけん》に深いシワが刻まれ始めました。理不尽なことに出会ったりして、持ち前の正義感が頭をもたげ出したときの、いつもの癖なのです。

「何だ、あいつぁ。道のまん中で自転車を八の字に乗りまわしやがって。危なくってしょうがねえじゃないか。よし、クラクション鳴らしてビックリさせてやる」

「よしましょうよ部長。相手は酔っ払いですよ。横っちょ通って行っても、車一台くらい通れますよ」

「君ぃ、そいつぁいけねえよ。そういうのを事なかれ主義ってんだ。だいたい日本人は酔っ払いに甘すぎんだよ。酔っぱらってりゃ何してもいいってんじゃ、道理が引っ込んじゃうよ。違うかい。え？」

「そりゃ、おっしゃる通りですけど……」

「それに、あのおっさんだって、そのうちケガしちまうよ、あんなことしてちゃ。注意してやった方が本人のためってえもんだ」

プァーッ。プァーッ、プァーッと激しくクラクションが鳴りました。

「わったしいがぁぁ～…………………………………………ん？」

チャンチャンコの男はニコニコしたまま、歌うのをやめると、『ん？』という感じでこちらを見ました。それからユックリとした動作で自転車から降りると、そいつを押してこちらへ近づいてきました。

「部長。こっちへ来ましたよ」

「何、こわがることぁねぇ。俺は剛柔流の三段だ。それに見ろよ。オッサン、笑ってっじゃねえか」

たしかに、チャンチャンコはニコニコ嬉しそうに笑っています。どうしてそんなに嬉しそうだったのかは、何十秒か後でイヤというほど知らされたのですが。

チャンチャンコが車のすぐ近くまで来ると、水田部長はウインドウから顔を出し、

「おいおい、危ねえじゃねえか。道のまん……」

と抗議し始めたのですが、すぐ息をのんで声をひそめました。

チャンチャンコが相かわらずニコニコしながら、左手一本でヒョイと自転車を頭上高くさし上げたからです。そしてその自転車はスローモーションを見ているような感じで、部長のワーゲンのボンネットのところに、
　バッカーン!!

と、ものすごい力で叩《たた》きつけられました。

「うわっ!!　な……何を」

呆然《ぼうぜん》としている私に、部長の声がとびました。

「きみっ。ドアをロックするんだ。早く!!」部長はドアをロックして、必死でガフスを上へ上げようとしていました。と、そこへニュッと太い腕が差し込まれ、部長のエリ首

をむんずとばかりにつかみました。

「おいっ、こらっ!! 放さんか、この……」

叫び続ける部長を、チャンチャンコはズルズルッと窓から引き出すと、

「よいしょっ!!」

とかけ声をかけました。すると部長の体がまるで縫いぐるみか何かのように、ポーンと飛んでいき、三mほど先に落ちていきました。

チャンチャンコは、それからドアロックをはずし、ドアをあけると、今度は逃げまどう私を車から引きずり出し、片手でヒョイと肩にかつぎました。そして先ほど落下した部長のところまで私を運んで行くと、米俵か何かのように私を両手で持ち上げ、

「ほいなっ!!」

と叫んで部長の真上から落としました。

「ゲフッ!!」

「ゴホッ!!」

私と部長は一瞬気が遠くなったようです。しばらくしてから気がついて頭を上げたのですが、そこに私たちが見た光景は、悪い夢を見ているとしか言いようのないものでした。

「♬ああんな〜た〜、だぁけぇぇよおとおすがああって泣ぃた〜♬」

チャンチャンコはまた歌い出しながら、開かれた運転席側のドアに手をかけていました。しばらくは嬉しそうにドアをゆすっていましたが、やがて、

「ほいなっ」

と叫んで、体で反動をつけてドアを逆に押しました。

カキッ!!

と音がして、ワーゲンのドアがはずれました。それはまるでフスマかなんかをはずすように簡単そうに見えました。

「♬ばぁかぁな、わたぁしいが～、いけえなぁいぃのお～♬　っとお」

チャンチャンコは車の反対側にまわると、同じ要領で残ったドアを、
コキッ!!

と一発ではずしました。

それから、そのはずしたドアを使ってフロントガラスを始め、窓ガラスという窓ガラスを叩き割りました。

グワッシャーン!

カシャーン!

ガシャーン!

グワシャーン！

静かな街角に、ガラスの割れる音と、チャンチャンコの嬉しそうな鼻唄だけが響いています。私と部長は、ただもう口をポカーンとあけて成り行きを見守っているだけです。

「やめろ……」

とか言う気力もありません。

チャンチャンコは、ドアとガラスのなくなったワーゲンに乗り込むと、ゆるゆると走り出し、道路上で見事なテクニックで八の字を描いてみせました。それから急に加速すると道路わきの電柱にむかって猛スピードで突っ込みました。

グシャッ！

と、なにか柔らかい音がしてワーゲンの前がへっこみました。車はそのままバックすると、道の反対側にあった電柱に激突します。

ドシャッ！

ワーゲンの後ろがへっこみました。

「よっひょお〜!!」

チャンチャンコは奇声をあげると、前進、後退を繰り返しました。

ワーゲンは前と後ろが完全に平たくへこんで、何か四角い箱のような姿になってしまいました。

チャンチャンコは車から降りて、その四角くなったワーゲンを感心したように眺めていましたが、やがて窓のサッシの部分に、

「アチョー、アチョー!!」

と回し蹴《げ》りをくれ出しました。鉄のサッシはそのたびに、
　カクッ、カクッ
とへし折れていくのでした。

チャンチャンコは最後に、ワーゲンの屋根の上に登り、

「♬いちどぉ～、もえたら～、
　消すに～消せない～

　まるで～ジャングルの火事～♬」

と踊りながら歌い出しました。

「部長、あの歌はたしか……」

私はよほど錯乱していたのでしょう。バカなことを聞いてしまいました。しかし部長もやはり錯乱していたのでしょう。深くうなずくと、

「うむ。『東京ドドンパ娘』だ」

と答えました。

「♬ドドンパッ！　ドドン～パッパァ～♬」チャンチャンコは踊りながら、『ドドン～

パッ』の『パッ!!』が出るたびにワーゲンの屋根を激しく蹴ります。そのたびに屋根は、

メシッ、メシッ!

と音をたてて、へしゃげていくのでした。

チャンチャンコは、『仕事』を全《すべ》て終えたのでしょう。変わり果てたワーゲンの姿を満足そうに眺めると、天をあおいで、

「うっほ――っ!!」

と叫びました。

部長のワーゲンは、もはやどこを見てもかつて車であったという面影はなく、完全に鉄クズのかたまりとなってしまっていました。その全体から受ける印象は、なぜか「できそこないのトロロ昆布つきおむすび」を思いおこさせるのでした。

そして、こうなるまでにチャンチャンコが要した時間は、わずか四分ほどだったのです。

「しかし、あんなところでサクラダに会うというのも、よっぽどツイていないですなあ、お二人とも」

警官が取調べ室のアルミの机ごしに私たちを眺め、気の毒そうに呟《つぶや》きました。

「いやぁ、サクラダもねえ、酒さえ飲まなかったら、ほんとにいい男なんですけどねえ。

シラフのときはねえ……。そうですか。クラクション鳴らしたんですか。あのサクラダに。ははあ……」

その口調は、まるで無知な他国人をあざ笑うかのように、あきれと同情が入りまじった響きを持っていました。

「き、きみ。それじゃまるで私たちが何か悪いことでもしたような口ぶりじゃないかっ」

あれから三十分ほどたって、やっと痴呆《ちほう》状態から抜け出た水田部長が、若い警官に嚙《か》みつきます。

「決してそういうわけじゃないんです。とにかく、サクラダというのは普段はほんとに気のいい男なんですよ。ただ酒を飲むとあの通りで。そうですなあ、あなたので八台目になりますかねえ。とにかく動いている車を見ると壊したくてしようがなくなるらしいんですな。壊すのがうれしくてたまらないようですな」

私の脳裡《のうり》に、チャンチャンコのあの嬉々《きき》とした笑顔が浮かんできました。

「そんなとこへクラクションなんか鳴らしたりしたらアンタ、それこそ『待ってました』ってなもんですなあ。ハハハ。あ、失礼しました。とにかくサクラダには、よおく説教した上でしかるべき処置をとりますので。今、となりの室《へや》で取調べをしとりますが、何ぶん、酔っとるもんで、本格的な調べは明日ということになるでしょうがね」

私と水田部長は取調べ室を出ました。

今から電車の切符を買って、重いゴルフバッグをかついで家まで帰らねばなりません。それを思うとウンザリした気分になる私でしたが、当の水田部長にとってはそれどころではないでしょう。何せ自慢のワーゲンが「できそこないのトロロ昆布つきおむすび」になってしまったのですから。なぐさめる言葉もありません。

そのとき、廊下を歩く私たちの耳に、取調べ室のドアを通してあの声が聞こえてきたのです。それはもう、これ以上はないと思えるくらいに気持ちのよさそうな歌声でした。

「♪わったしいがあぁ～、さっさあげえた～、ああんのひいとおに～♬」

III

私が一番モテた日

男が寄ってヨタ話をしているうちに、どうかすると、自分がモテるの、モテないのという話になることがある。そんなときに、自分は果たしてモテるのかモテないのかと考えてみるのだが、どうもいけないことには、「モテる」というのがどういう状態をさしているのか一向に釈然としない。ということはつまり、今までモテたことがないわけで、深く考えるまでもなく、この話題に関してはあえなく予選落ちせざるをえないようだ。

ただ、妙なことに、そういうことにあまり固執しなくなった三十過ぎくらいから、

「これはひょっとして、オレ、モテるんじゃないだろうか」

という状態を感じることが、ごくたまにだがないこともないようになった。が、それもほんのあえかな心臓弁膜のザワめきみたいなもので、はっきりとした実感にまでは至らない。

モテたい、モテたいと思っていた時期にいつも僕を打ちのめした、

「ふん、このタコ」

という女の子たちの冷やかな視線。それが何となく最近感じられなくなった、というだけのことに過ぎない。それは、どうでもよくなってしまったこちらの感受性が鈍くな

ったたけの話かも知れないし、もっと最悪の場合を考えると、モテるモテないの土俵をこっちがとっくにはずれてしまっていて、例えば誰《だれ》でもがご老人には親切にするような感じで優しくしてもらっているのかも知れない。

それでも、女の子と飲んでいたりして、空気にしっとりと靄《もや》がかかった感じになり、ふつっと言葉が途切れて、途切れてもその沈黙に何がしかの甘味があったりする場合がある。そんなとき、

「なるほど、ここでガンバって、自分でも『痛々しい』くらい努力すればうまくいくわけだろうな」

と思ったりすることもある。つまり百％の暗闇《くらやみ》ではなくて、どこかに明るい抜け道がなくもない、期待だけはほのかにあるという状態。しかし、そんな淡いものを「モテてる」とはいわないだろう。ほんとにモテる人からみればむしろモテていない状況なのにちがいない。それでも僕の個人史の上から見れば、こういうのは稀有《けう》なことなのだ。

「なにさ、このタコ」

がないというのは実にうれしい気持ちのするものだ。たぶん三十を越えて、以前の脂っ気が抜けてきたおかげだと思うのだが、そう言ってしまうと何だか自分が押入れの奥で冬を越したソウメンのような気がして淋《さび》しくもなる。

最近ではよほどマシになったけれど、とにかく女の人と口をきくのが苦手だ。変に意

識してしまうのだ。ことに一対一でしゃべらなければならないその相手が女性であると、それを考えたとたんに脈搏《みゃくはく》が数をうちはじめ、唇が乾き、アドレナリンが大量に放出されだす。舞台にあがったしょっぱなに、セリフを全部忘れてしまっている自分に気づいた、ちょうどああいう状態になる。

これはおそらく、十二から十八までのいちばん魂の柔らかな季節を、私立男子校でごつごつと過したせいだろう。

山上たつひこのマンガに、「娘」という字を大書したのを壁に貼《は》って、それを見ながらマスターベーションにふける男が出てくるが、あの気持ちというのはよくわかる。女の子という存在が、柔らかな頰《ほお》や丸い肩を持った実在としてではなく、まさしく「女の子」という文字の持つ抽象性、観念としてしか頭の中に入っていない。つまりデータ不足なのだ。やさしい女の子、意地悪な女の子、こすっからい女の子、かしこい女の子、母性的な女の子、ひょうきんな女の子、めめしい女の子、スケベな女の子、強い女の子、繊細な女の子、不潔な女の子、大人っぽい女の子、そういった数多《あまた》の女の子をサンプルに、帰納的にあるがままの女の子を理解するという訓練が全くスッポぬけている。演繹《えんえき》的に、それも稚拙なアナロジーを使ってしか女の子を手さぐりすることができない。こうした貧弱な想像力からは、「聖女」と「娼婦《しょうふ》」という、どうしようもない二元論的女性観しか生まれてこない。現実の女の子には聖女も娼婦もいはしない。そして僕の頭の中には実在する女の子の本質というものが欠如している。そうして、いわば二つの「不在」の間をただ意味もなくドキドキしながらうろついているというのが僕の不毛な思春期の実態だったのだろう。

とにかく、話をする異性といっても校内食堂のおばちゃんくらいしかいないのである。ことに女きょうだいのいない僕などになると、これはもう世界の半分がどっかに消滅しているのと同じことで、そういう奇形的な世界の中で奇形的でない女性観を育てるのは不可能に近い。（別にだからといって、おばちゃん嗜好《しこう》癖とか男趣味に走らなかったのは幸いだったのかも知れないけれど）

僕にとって異性とはひとつの「異国」であった。ちょうど一葉の絵ハガキを見てパリに憧《あこが》れるように、僕は異性に焦がれるのだった。その異国は、チリひとつない清潔なプロムナードに、何か果実の香りのする甘やかな微風がそよいでいるような、そんな美しい風景を抱いた異国だった。

ところが高校生くらいにもなると、その憧れの国へ実際にしょっちゅう出入りしているような奴《やつ》が何人か同級生にもあらわれ出す。

実際モテる奴というのはいるもので、これはもう先天的にいくつかの条件を満たして生まれてきた存在のようだ。

彼らはたいてい芦屋《あしや》とか神戸の金持ちのセガレで、いつも小ざっぱりとしたセンスのいい服に身を包み、隠そうとしてもこぼれ出てしまう育ちの良さを感じさせる。やさしそうな顔つきと白い歯と長い脚とタップリした小遣いを持ち、街と映画と音楽の情報に関しては右に出るものがいないという風情だった。

それに比べて僕に与えられた条件の何と劣悪だったことだろう。

小学校の終わりくらいから出はじめたニキビは、今や顔の全面を占領し、自分で触れるのも薄気味悪いくらいだったし、おまけに毎日母親が持たせる超密度のドカ弁と夜のドンブリ飯のせいで、体中にはボッテリとゼイ肉がついていた。身長は小学校の頃《ころ》に大柄すぎたのが災いしてか段々と伸びなくなり、それまでチビ、チビと馬鹿《ばか》にしていた美少年たちにアッという間に追い越されていった。月々に渡される小遣いは、モテる少年たちのそれに比べると微々たるもので、LPと本と映画で瞬間的に蒸発してしまい、とてものことに服やコンサートにまわす余裕はなかった。

そして何よりも僕に欠けていたのは、「軽さ」と「度胸」ではなかったろうか。学園祭やキャンプで知り合った女の子に、後日ホイホイと電話してのける軽さや思いきりが、僕には決定的に欠如しているようだった。

その結果、僕はまず初手からレースに参加することをあきらめ、やり場のないエネルギーを、ニーチェやボードレールや「ガロ」にふり向けては、ますます暗くなっていき、ますます「このタコ」になっていくのだった。そして、女の子からのピンクの便箋《びんせん》の手紙と一万円札をピラピラふりかざしている、モテる少年たちへの怨念《おんねん》はいやましに深まっていき、今だにその暗い尾を引いているのである。

有楽町のガード下で村上知彦氏と飲んでいるときに、ふとその暗い尾っぽがまた動いたのを感じた。

村上氏は僕とほぼ同じ年だが、何か「永遠の美少年」のような雰囲気を漂わせた人だ。額にたれた直毛を小うるさそうにかき上げる仕草だとか、どことなく神経質そうに往き来する視線に、確かに「モテモテ山手美少年」の気配が感じられる。

それに何よりの証拠には、村上氏は、

『ウソみたいなマツ毛』

をしている。これはどういうマツ毛かというと、たとえば何か小むずかしい話をしていて、

「……とそういうポレミックな部分に閉塞《へいそく》してしまう危険性がですね……」

とか何とかいいながら、ふと相手の顔を見ると、

「そうですね、その通りですね」

などというアイヅチとともにしばたたかれるそのマツ毛が異様なほど長く黒々とカー

ルしており、こちらに涼しげな風までがハタハタと送られてくる気がして、思わず、

「ング……」

と意味もなく唾《つば》をのみこんでしまったりするという、そういうあやしげなマツ毛なのである。

村上氏のその「ウソみたいなマツ毛」と端整な顔立ちを眺め、氏がやはり関西の名門私立男子校の出であることを考え合わせると、もはや氏が、「ピンクの便箋、一万円札フリフリ、モテモテ少年」であったろうことは疑いようのない事実であるように思えてくる。そうなると、僕の胸には、それまであんなに和気あいあいとチューハイを酌み交わしていたにもかかわらず、何かドス黒い怨念のようなものがムラムラッと湧《わ》き上がってくるのだった。

「話かわりますけど、村上さんて、高校生の頃、モテてました？」

とさりげなくホコ先をむけてみる僕だが、その声はすでに、やや乾き気味で、半ば裏返っているのだった。

「ええ、モテるのだけはムチャクチャモテましたねえ」

村上氏はまた髪を額からかき上げると、まるで今日の昼メシに何を食ったかの話をするのと同じように、何の力も込めずに答えたのだ。

「や、やっぱりモテてたんですかぁ!?」思わずとんでもない大声が出てしまった。その

ときすでに僕の顔面は血が登って紫色になり、眼球はカッと西川きよし風にむき出しにされていたのであった。

そしてそれに続いて聞かされた話は、いやが上にも僕の毛細血管を膨脹させ、肝臓はアセトアルデヒドをとめどなく増産し続け、脳ズイを底なしの悪酔の極北へと導いていくのだった。

「いやあ、モテましたねえ。ま、とにかく数だけは揃《そろ》えてるっていうか、不自由してないっていうか。文化祭のときなんか、もう女子校の招待状が二十校くらい集まってねえ。そんなにあっても仕方ないんですけどねえ。ま、モテへん奴に見せびらかすとかね。

それでまあ、女の子でもこう役割別にして揃えてあるっていうか、この子とは一緒に通学するだけ、この子とは映画とかコンサートいく付き合い、で、この子とは電話でしゃべる付き合いとかいう風にね。たくさんいましたよ。

ラブレターですか？　きましたよ。手紙できたりもあるし、あとは間接的にというか、その子の友だち通して申し込んできたりとかね。

でも、女の子と付き合うのって、やっぱり付き合いそれ自体よりも、付き合うまでの方が楽しみ多いわけでね。最初にこう何となく噂《うわさ》が伝わってくるっていうか、どうも好かれてるらしいというのがおぼろげにわかってくるときとかね。手紙が来て、会うまでとかね。ははは」

この時点ですでにアイヅチを打つ僕の声は段々と間が遠くなっていき、やがて訳のわからない呟《つぶや》きに変わり、最後には狂ったようにチューハイを啜《すす》り込む、グビッグビッという音しかしなくなっていったのだった。

「ま、モテるように努力というか、とにかく目立つようにというのは考えてましたよね。通学にずっと緑色のコート着てたりとか、ワニの人形抱いて学校行ったりとか。学校でもね、机の上には白いテーブルクロス敷いて、その上に花ビン置いたりとかね。そういうのが噂になって、段々女子校の方まで広がっていくわけですね。そしたら、とにかく、噂になってる男の子と付き合いたいっていう女学生も中には出てくるわけですね。ま、一種のブランド指向っていいますか。そういうので手紙がきたりするんですね。

そうやって、いっぱい付き合ってるもんやから、鉢合せして困ったりしたこともありますよ。神戸なんて狭いですから、誰か女の子と歩いてたりしたら、まあ、誰か知った人に会ったりするから、そういうのがすぐパッと別の女の子に伝わってね。別れるとかどうやとか、ややこしいことになって。気ぃ使いますよ、けっこう。はははははははははは」

何が「ははははははははははは」だっ!!　何が「一種のブランド指向」だっ。何が「ワニの人形」だあっ!!　もはや僕の頭は時空間の軸がねじれてポキリと折れ、ジェーン台風で決壊した武庫《むこ》川の堤防から憤怒の黒々とした濁流が台湾ナマズと共に雪崩《なだ》れ込み、その流れのあちこちから、神戸女学院、甲南女子、海星女子、小林聖心女子学院などの女子高生の白いソックスをはいた脚がニョキニョキとあらわれては流れ去っていくのだった。それと同時に、その濁流の波間から、八幡英一郎のカッパのような顔がニュッと突き出し、ニタッと笑ってまた消えていく。そうだ。僕は生まれて初めてのキスを、さんざん酔っ払ったあげくにこともあろうか、このカッパの英一郎としてしまったのだった。くそっ、舌まで入れてきやがって!!　あっ、次は何だ、あのブヨブヨしたツラは。そうだ、あれは十三《じゅうそう》のソープランドのおばさんだ。高二のときに、どうしても童貞が捨てたくなって、友人の吉川と一緒に十三へ行ったんだ。くそっ、吉川のヤロウ、途中でビビリやがって、

「ボク、ここでパチンコして待ってるから」だと?　おかげで僕一人、岸壁の母みたいなおばさんに体がバキバキになるまでマッサージされたあげくに鼻でせせら笑われて、童貞の「ど」の字も捨てられないまま放《ほう》り出されたんじゃねえかっ!　あっ、次にボコッと出てきたのは伊藤チエ子じゃないか。何でお前が出てくるんだ。小学校一年のとき、

「中島くん、目つぶってて。いいとこ連れてってたげるから」

か何か言って、僕をドブに突き落としやがって。おかげでアゴを三針も縫ったんだぞ。三針も。まだ傷跡のこってんだぞっ。あれ以来女性不信になったんだぞっ。責任とれ、責任。あ、ポコちゃんだ。吉川のいとこの。死ぬ思いで手紙書いて出したのに、内容が文学論か何かだったんで相手にしてくれなくて、三年前芦屋で偶然会ったら子供連れだった、ポコちゃんだ。おーい、待ってくれえ、話きいてくれえい。もうブンガクの話なんかしないからよお。わっ!! 何だ。お袋じゃないか。いきなり出てくるなよ、こんな近くから。わかったよ、わかってるよ、勉強するよ。もう吸わないって、シンナーもマリファナも。センズリもやめるって。センズリもやめて勉強するから金くれよ。ホテル代いるんだから。ヒロミとやるんだから。シンドーが言ってんだから、ヒロミはやらせるって。な、何だ? 水が段々ねばってきたじゃないか。このねばりは何か覚えがあるぞ。こ、これは僕のナニじゃないか。そうか、今まで出したヤツがどっかにみんなたまって逆流してきたんだ。こんなに出してたのか。それでアホになって背も伸びなかったのか。そうだったのか。しかし苦しい……苦しいな。溺《おぼ》れてるんだな。自分ので溺れて死ぬんだな。何ていうトンマで薄汚い死に方なんだろう。いやだっ。助けてくれ。おーい、助けてくれえっ!!

ふと我に返ると、目の前に村上氏の端整な顔があいかわらず涼やかに微笑《ほほえ》んでいるのだった。そうだ。モテる話を聞いたせいで、意識が混乱をきたして、あやうく彼岸の世界まで押し流されてしまうところだったのだ。さて、村上氏のモテ話はまだ終わったわけではない。こうなればもうトコトンまで聞いてショック療法を試みるしかないだろう。あえて一番聞きたくない部分に僕は斬《き》り込むことにした。

「で、その、つきあってた子たち。全部やったんですか？」

「え？　何がですか？」

村上氏の眉《まゆ》が少しくもり、「ウソみたいなマツ毛」がパチパチッとまたたいた。

「何がって……やったんでしょうが。え？　やったんでしょうがっ!!」

僕はもう、氏のエリ首をつかまえんばかりの勢いで、顔は広島のキヌガサみたいになっている。

「ああ、アレですか。アレは僕はオクテやったですから、その頃はまだ……」

「え？　やってないんですか、そんなにたくさん付き合ってて。ひとりも!?」

「だいたい僕、初めてキスしたのも二十歳《はたち》越えてからですから」

「え？　ということは、キスもしなかったんですか。ということは、もちろんペッティングも。AもBもCも、なぁんにもなしですか？」

「ええ」

何か、全身の力がフコッと抜けたようになってしまった。それなら僕の方がよっぽど早いではないか。キスなら僕は十六くらいのときにしている。ただし相手はカッパの英一郎ではあるが。

「そしたら、付き合う付き合うって、いったい何して付き合ってたんですか」

「そりゃもう、映画みたりとか、お茶飲んでしゃべったりとか」

「そんな程度のことで、別れるのなんのいうことってあるんですか。何を根拠に、前提にして『別れる』とか言えるんですか」

「まあ、そうですね。今から考えたら夢みたいな話ですよねえ」

村上氏は運ばれてきたイワシの天プラを口に持っていきながら、ふっと遠い目付きになってしまった。

「そういうことするチャンスっていうのは今から考えたらいくらでもあったと思うんですけどね。相手のOKサインが読めなかったっていうか。……純情やったんでしょうねえ。それに僕、なんかコンプレックスのかたまりでしたから。自転車に乗れないとか、口笛が吹けないとか、中学になるまでネションベンしてたとか、鉄棒の逆上がりができないとか……。コンプレックスが多過ぎて、心の余裕がなかったんで、要するにエエカッコばかりしてたんですねえ」

さきほどまで僕の脳ズイに渦巻いていたまっ黒な濁流は、女高生の白いソックスやソープランドのおばはんやカッパの英一郎やらポコちゃんやらを呑《の》み込んだまま、逆回転フィルムのようにスルスルーッとどこかへ消え去っていった。残されたイドの地表には、台湾のナマズが一匹、ピクピクとケイレンしているだけなのであった。

口に運ぶチューハイにも、にわかに味がよみがえってきた。それは青くて、少し理科実験室のような匂《にお》いのする、ライムの味だった。

「もう一杯いきましょうか」

僕はニコニコしながら言った。

「いきましょう」

村上氏が「ウソみたいなマツ毛」をハタハタッとさせて答えた。

Ⅳ　クェ・ジュ島の夜、聖路加病院の朝

1

クェ・ジュ島に着いたのは、午後を少しまわったくらいで、うっすらと曇った灰色の空港に、これまた不機嫌な色をした軍用ヘリコプターが何台か停《と》まっており、島全体が何となく僕たちの到着を歓迎してくれてはいないような印象を受けました。

この陰鬱《いんうつ》な島で過ごすこれからの何日かのことを思うと、僕は気が滅入ってくるのを覚えましたが、同行の二人は飛行機の中でのウィスキーも手伝ってか、子供のようにはしゃいでいるのでした。

川村部長は僕の得意先の資材部の責任者で「鬼の」という形容詞がついている通り、四十がらみで頑強そうな体軀《たいく》、眉間《みけん》にシワの寄った鬼瓦《おにがわら》のようなご面相の人物です。この人を一度怒らせると、もうその納入業者の社屋にはペンペン草も生えないといわれているほど、厳しく、そして実力のある人なのです。もう一方の足達さんは、川村さんと部署はちがいますが、やはり同じ得意先の方で、川村さんとはウマのあうポン友だそうです。ただ、この人のことを実は僕はあまり知りません。やはり四十を少し過ぎたくらいでしょうか、ノホホンとした馬ヅラに、好色そうな口ヒゲをたくわえた顔がボウヨウとしていて、ますます性格のつかみにくいところがあります。

さて、僕はといえば、叔父の経営する小さな会社の営業をやっている、二十五になるペエペエの独身社員です。会社は油圧制御機器を製造販売しており、売上げの八割強は川村部長のところで成り立っているような状況なので、まあ、足を向けては寝れないというお得意先です。

今回のこのクェ・ジュ島への旅行は、そんなわけで「視察」の名目はついているものの、もう百％無添加の接待旅行なのです。何で関係のない足達さんまでがついてくるのかがよくわかりませんが、そんなカタいことを言ってられる立場にうちの会社はないのです。とにかく諸事万端遺漏のないようにして、ご両人を羽化登仙させて帰すようにというのが、社長である叔父の、僕に対する至上命令であったのです。それを考えると、僕はまたしても胃の奥がチリチリ痛むのを覚えるのでした。

だいたい僕というのは自分で言うのも何ですが、どちらかというと都会型の内向青年で、そういう接待とかソツのないヨイショとかが逆立ちしてもできないタイプなのです。せめて年代でも近ければ共通の話題ではしゃぐこともできるんでしょうが、相手は何せ四十代のおっさんで、しかもモーレツ時代を生き抜いてきたバリバリ社員です。とてものことに僕らのような繊細なシティボーイのたちうちできる相手ではないのです。

どこか南の島でも行きましょうよ、という話が最初に出たとき、このクェ・ジュ島の名を持ち出したのは川村部長でした。僕は、南の島といえばすぐにセーシェルやロタのエメラルド色の海の蒼《あお》が脳裡《のうり》に浮かび、サーフィン、スキューバ・ダイビングといった楽しみを思って、つい一人でうっとりとなってしまったのでした。ところが目を開いて、前でニタニタしている川村部長の赤銅色の顔を眺めると、それはどう考えてもサーフィンや青い波と結びつくものではありません。

「で、そのクェ・ジュ島ってのは、どんな島なんですか」

おそるおそる尋ねた僕に、川村部長は顔の脂をテラッと光らせて答えました。

「まあ、一種の『女護ヶ島』やな」

それを聞いたとたん、僕は目の前が何か壊れたテレビのように、カラーからスーッとモノクロに変わったような気持ちがしました。

『女護ヶ島!!』

実を言いますと、恥ずかしい話なのですが、僕はこの二十五の年まで童貞だったのです。別に意識して童貞を守っていたわけではないし、そういうチャンスがなかったわけでは決してありません。現に、ソープランドへでもくり込めばそれですむ話なのでしょうが、ある種の潔癖さが僕にはあって、金の力を借りてそういうことをするというのが自分で許せなかったのです。そのうちに好きな女《ひと》ができて、自然な形でそういうことになるのが一番だという、ほのかなロマンのようなものをセックスに対して抱いたまま、僕は童貞でい続けてきたのです。今どき古風といえばそうかも知れませんけれど、そういうことは人それぞれであっていいのではないかと思うのです。

　それが、よりによって「女護ヶ島」とは!!


　空港のゲートを出ると、ガイドのタニさんが出迎えに来てくれていました。タニさんは島民の女性と、かつてこの島を占領していた日本軍兵士との間に生まれた二世で、日本語はほぼ完璧《かんぺき》に話せるようです。

「よく、いらしゃいました。ちょと天気悪いけども、よかたね。昨日までスコールすごかたからね」

　満面の笑みで出迎えられた僕たち三人は、この島では超高級品の部類に入る日本製の自家用車に乗せられて、ホテルへと向かいました。この島では、車といえばほとんどがバスかトラックか官庁か軍部の公用車で、自家用車というのは皆無に近いのだそうです。タニさんは自分の車がたいそう自慢なようで、それは道々の通行人にやたら意味もなくクラクションを鳴らすのでもわかりました。車が少ないにもかかわらず、クェ・ジュ島の道路というのは実に立派で、ほとんど四車線の広々としたものです。おまけに信号がありません。車は左側通行で、ほぼ百㎞近い速度でとばして行きます。道の両側にはこの島特有の家並が続いています。海からの風が強いためでしょうか、家の造りは低く、身をこごめてうなる獣のように、カチッと小造りに緊張した感じがします。屋根はシュロの乾かしたものかトタンで、どちらも風にとばされないように石の重しをした上に荒いロープでくくりつけられてあります。庭先にはたいてい鶏が放し飼いにされていて、それを子供たちが蹴《け》り立《た》てたりして遊んでいます。その傍では父親らしい男たちが日本でいうステテコのようなものをはいて床几台《しょうぎだい》に座り、ムッツリと煙草《たばこ》をふかしているのが目につきます。女の姿はほとんど見えません。

「いやに男が多いな」

川村部長がつぶやきました。タニさんがそれを受けて答えます。

「この島では、男ほとんど働きません。産業、観光でしょ、漁業でしょ、農業でしょ、ザッツ・オールです。海、もぐってアワビ、タコ採る、これ女の人しかできない。畑仕事も女やる。家のこと、クッキング、ウォッシング、スウィーピング、みんな女の人やります。だからこの島の女、世界で一番働きものです。ワイフにもらうならクェ・ジュ島の女ですね」

「じゃ、男は毎日何をしとるんや」

「男、子供の遊びの相手したり、男同士でお茶飲んだりします。お茶、小さなコップでなめるみたいにして何杯も何杯も一日中飲みます」

「ほう、茶を飲んで井戸端会議するのが仕事か。そら、うらやましいこっちゃ」

「テレビ見るでしょ？　アフリカのこと出てるテレビ。ライオンいますでしょ。ライオンのオス、寝てるだけでしょ。クェ・ジュの男、ライオンと同じですね」

「労働いうたら、夜のカアちゃんの相手だけか。よっぽど見返りがきついんとちがうか？　ヒェッヒェッヒェッヒェッ！」

川村部長は歯グキを全開にしてたいそう上品に笑いました。タニさんも、やや引きつった顔で、シェッシェッシェッ、とお愛想笑いをしました。

「広い道路やのう!!」

突然、ばかデカい声で足達さんが全然関係のないことを叫びました。あまり素頓狂にデカい声なので、一瞬車内がシンとなりました。

「ええ、クェ・ジュの道、広いです。敵、攻めてくる、クーデターおこる、その時のため、タンク通れるようにどこでも広くしてあります。いざ、いう時、飛行機どこからでも発着できるようにもしてあります」

タニさんの説明を聞いているのかいないのか、足達さんは窓の外を眺めながら、

「うん、広い道路や」

と、もう一度言いました。それから今度は自分に言いきかせるように、口の中で、

「広いわ、道路が……」

とつぶやくと、最後に僕の顔スレスレにまでヌウッと顔を近づけると、

「広い道路やのうっ!!」

と言いました。
「ええ、広い道路ですね」
と僕がアイヅチを打つと、それでようやく納得したのか、またもとのノホホンとした馬ヅラにもどって黙り込んでしまいました。

車で十五分ほどで、クェ・ジュ・ホテルに着きました。海ぞいに切り立った断崖《だんがい》を背にした、なかなか最新式のホテルで、通された部屋からの眺めは曇天とガスでやや水平線などボヤけているものの、雄渾《ゆうこん》で素晴しいものでした。冷たい氷水で喉《のど》をしめしながらその風景を眺めていると、やっぱりここにきてよかったような気に一瞬なるのでした。しかし次の瞬間には、ついさっきロビーで別れ際に川村部長が、人差し指と中指の間に親指をのぞかしたサインをグッと僕の方に突きつけてニタァッと笑った姿を思い出してしまい、またしてもゲンナリした気持ちになってしまうのでした。

何とかしてその親指マークにつきあわずにすむ方法はないものだろうか。僕は真剣に考え始めました。

タニさんはたしか、夕方の六時になったら階下のロビーにもう一度迎えに来ると言っていた。おそらくはそれからどこかのレストランで食事をとって、その後で親指マークを物色しに行くという段取りであろうと僕は想像しました。それならば、食事をすませて次の場所へ移動する段階で、何らかの理由をつけてトンズラすることができます。食べ過ぎて腹が痛くなったというのでもいいし、あるいは酔っ払ってしまって気分が悪くなったのでホテルに帰って休むとか、何とでも言い逃れはできそうな気がします。そう考えると僕は何とはなしに気が軽くなって、うれしくなってきました。

別に童貞が大事だとか、そういう気はないけれども、何もわざわざこんな南の島に僕の童貞を海外輸出する気もさらさらないのです。そんな情けない初体験をするくらいなら、とっくに日本のディスコでナンパした女子大生か何かを相手に本望をとげる方がどれだけさわやかか知れません。ましてや、女が働くことが常識のこの貧しい島で、金の力で相手の頬《ほお》をひっぱたいて土地の女性を抱くということは、青くさいかも知れませんが僕の正義感やダンディズムが許さないのでした。

あれやこれやと考えているうちに、約束の六時になってしまいました。

ロビーに降りるエレベーターの中で、足達さんと一緒になりました。足達さんは部屋で着替えをしたらしく、目をむくようなキンアカ色のアロハに紫色のショートパンツという派手ないでたちです。しかも、夕方だというのになぜか新品のサンバイザーをかぶり、おまけに足元はさっきまでと同じ革靴のままなのでした。ヒゲをたくわえた馬ヅラはさっきよりも一段と長さを増したように思われ、その馬ヅラに奇妙な笑いを浮かべると足達さんは、

「疲れてないか？」

と尋ねました。

「いえ、元気です！」

と、精一杯のカラ元気を出して答えます。

「そうか、疲れてないか」

足達さんは言うと、もう一度口の中で、

「そうか、疲れてないかぁ……」

とつぶやき、最後にもう一度大きな声で、

「疲れてないかぁ。え？」

と言いました。

「はいっ、疲れてませんっ！」

仕方ないのでもう一度答えると、足達さんは何を思ったのか、いきなり僕の股間《こかん》をギュッとワシづかみにつかみ、

「このおっ！」

と言いました。僕はハッキリいって、こういう人にどう対処していいのか見当もつかないので、ただ、

「ハハハハハ」

と笑ってみせたのでした。

ロビーでは、もうタニさんと川村部長が何やら談笑しながら待っていました。

我々はまたタニさんの自家用車に乗り込むと、ホテルを出発しました。

道々、タニさんがこれからの予定を説明してくれるのですが、この人は猛スピードでとばしているにもかかわらず、話しかけるときにいちいち運転席から後ろの我々を振り返るので、もう気が気ではありません。

「これから案内するとこ、クェ・ジュで一番大きなリョーテイね。リョーテイ着くと入口のところでナンバー書いた札渡されます。これ、クツと荷物のフダです。このフダ大事です。大事のことはもうひとつ、リョーテイの部屋に入るとすぐに娘たち来ます。あなたたち三人だから、娘も三人来ます。そしてその娘たち皆さんと同じフダ持ってます。ナンバー同じの人のところに娘すわります。娘たち、お客さんの食事の世話、飲み物の世話してくれます。日本語、英語、わかる娘いるけど、少しです。わからない娘、多いです。だから、食事すむ頃に、あなたのルームナンバー書いて渡してください。それで私たちホテル帰る。一時間したら娘きてノックするので入れてあげるとよろしいです。ザッツ・O・Kですね」

しまった！　僕はホゾを噛《か》みました。食事とそれが同じになっているシステムだとは想像がつかなかったのです。これではうまくトンズラしようにも仕方がないではないですか。

「あのー。そこでですね、ルーム・ナンバーを教えなかったら、どうなるんでしょうか？」

　僕は蚊の泣くような声で尋ねました。

「教えない？　それなぜですか？」

　タニさんには、意味が呑《の》み込めないようです。

「何や、お前、これせえへんつもりか」

　川村部長がまた例の親指マークをヌッと突き出しました。

「い、いえ。そういうつもりはないんですけれど……」

「ははあ、わかったわかった。お前、金がないんやな？　社長にワシらの分しか金もろうてこんかったんやろ。何ちゅうケチくさい社長や。よし、わかった。お前の金はワシが出しといたる。そのかわり、ホテル帰ったら国際電話かけて社長によう言うといたるがな。お前とこの会社は若いもんにたまに接待旅行さしても、オンナ代もケチるようなみっともないことして社員に恥かかす会社か！　ゆうて、どやしつけといたるがな」

「いえ、部長、ちがうんです。そういうことじゃなくって……」

　しどろもどろしていると、タニさんがパチンと指をはじきました。

「オウ、わかりました！　あなた、娘きて、その娘の顔よくないのとき、どうするかのこと言ってますね？」

話がとんでもない方へいってしまいます。

「なるほど、そりゃ一理あるな」

川村部長が膝《ひざ》を打って賛同しました。

「そんな下足フダみたいなんで女わり当てられても、どうしようもないへチャがきたらどないするねんな。それに、好みかてある。ワシはどっちかゆうたらあんまりやせて骨盤のささりそうな女は好かんのや。ポチャポチャッとしてオッパイの大きいのがええんや。そんなとこへ桂春蝶みたいなオナゴが来たら、どうせえっちゅうんや」

隣で足達さんが深くうなずいて言いました。

「そら困る」

そしてもう一度、

「そらぁ、困るわ」

と言うと、口の中で「そら困る」とつぶやき、僕の方にヌッと顔を寄せると、

「そら、困るわなぁ？」

と大声で叫びました。

タニさんは、苦笑いをしながら、

「OK、OK。そのこと心配いらないです。娘、顔よくない、あなた好きないのとき、

チェンジできます。でも、クェ・ジュの娘、みなプライド高いです。ダイレクトにチェンジ言うの、ノー・グッドです。娘、とても怒ります。ですから、キーワード決めておきます。いいですか？　食事始まってしばらくする。私、みなさんに、『誰《だれ》か、お水ほしい人いますか？』とききます。だから、娘チェンジしたい人、そのとき、『私、お水ください』言ってください。あと、私、上手に仕事して、別の娘とチェンジさせてあげます」

「なるほど、そらええわ。『お水ください』やな？」

川村部長が相好を崩したようになり、足達さんは足達さんで、口の中で『お水ください』という言葉を何度も呪文《じゅもん》のように反芻《はんすう》し続けるのでした。

2

さて、それから件《くだん》の「リョーテイ」に着いたわけですが、「リョーテイ」というのは日本統治下にあった時代の名残りの言葉で、レストランというほどの意味なのでしょう。我々が想像する日本のそれとはおよそかけ離れたしろもので、コンクリート造り二階建ての外見は、どこかの海水浴場の国民宿舎のような殺風景なものでした。

通された部屋は、何か調整をまちがったぐらいにクーラーが効き過ぎていて、樹脂張りの大きな卓の上で、かなり前から用意されていたらしい料理がすっかり冷えきって我々を待っていました。それは何か国籍不明の料理で、豚肉の固まりを唐辛子とともに煮つけたもの、紫色の貝や小魚をぶち込んだスープ状のもの、日本のテンプラによく似たもの、さまざまの香辛料で海草をあえたもの、小海老《こえび》の茹《ゆ》でたものなどが、ゴチャゴチャとテーブル一杯に並んでいました。

それらを眺め渡して、席に着くか着かないかのうちに、廊下でパンパンと手を打ちならす音が聞こえ、中年のよく肥《ふと》ったおばさんに引率されて三人の「娘さん」が入って来ました。全員、日本の浴衣に帯を前で結んだような、色鮮やかな民族衣裳《いしょう》をまとっています。

すっかり気が動転してしまった僕は、視界のはしにそれらの衣裳の赤やピンクやオレンジ色がひらひらしているのを目に止めるのがやっとで、とてものことにその娘たちの顔まで見ることはできませんでした。

中年の肥ったおばさんは、いわゆる〝やり手ばば〟というかそういった類《たぐい》の人らしくて、ついと前に進み出ると、かなり流暢《りゅうちょう》な日本語で歓迎のあいさつを述べました。そして入口近くに並んだ娘の一人を引っ張ってくると大きな声で、

「十九番のカードの方！」

と呼びました。娘は手に、我々が玄関で靴と引き換えにもらったと同じ小さなカード

をヒラヒラさせて微笑《ほほえ》んでいます。

「おっ、十九番。私だ私だっ!!」

足達さんが手を挙げました。女の子はスルスルッと足達さんの傍にくると、ピッタリと寄り添って座りました。足達さんは何やらテレくさそうな表情で、

「十九番、フムフム、十九番。……十九番」

と何度もつぶやいています。

「二十番の方！」

おばさんが言いました。二十番は僕です。ヘタに声を出すと、声が裏返ってしまいそうなので黙って手を挙げました。何やらピンク色のフワフワしたかたまりが僕の方に寄ってくると、やがてピッタリと密着して座ります。残った川村部長の横に二十一番の女の子が座ると、やり手ばばのおばさんは〝どうぞごゆっくり〟か何か言って退室し、食事が始まりました。

女の子がまず我々のグラスにビールを注いでくれ、とりあえずは乾杯ということになります。次に肉や海老やスープが小皿にとりわけられ、口まで運ばれて勧められます。ビールを何杯か乾《ほ》したころになって、僕はようやく相手の女の子の顔をまともに見ることができました。そして僕は軽いショックを受けました。というのは、その子がとても若くて綺麗《きれい》だったからなのです。

おそらくまだ十七か八くらいなのではないでしょうか。この島の人に特有の、一種の光沢を孕《はら》んだ浅黒い肌に、キリッとして利発そうな大きな眼《め》、小さな口元とポッテリと肉厚な唇、そして小柄な身体《からだ》の全体から受ける印象は、何か敏捷《びんしょう》そうな小動物が丸くなってくつろいでいるような、とても可愛《かわい》らしい感じなのでした。

そして何よりも驚いたのは、この子の全身からくる雰囲気が、僕が昔中学の頃にひそかに片想いしていた、副級長のIさんという子にたいへんよく似ているということだったのです。よく、世界中にソックリな人間というのが三人いるといいますけれど、こんな外国の島に来て、Iさんにソックリな人に会うというのは何か信じられない気がしました。

名前は何ていうの、というのをまず英語で聞いてみると、

「テムです」

という答えが返ってきました。

「日本語、できるの？」

「すこし、です。とても」

テムは髪の先を耳の辺でいじりながら、たいへん恥ずかしそうに答えました。その姿が愛らしかったので、僕はポーッとのぼせあがってしまい、この子に何でもいいから親切にしてやりたくなりました。机の上のご馳走《ちそう》をすすめてみようと思い、

「食べますか？」

と尋ねると、テムは、

「いいえ、わたし、オッパイです」

というのです。

「オッパイ？……。オッパイ？　ああ、ミルクが飲みたいの？」

「いいえ、わたし、オッパイです」

テムは一生懸命に言葉を探しています。

「わたし、おなか、オッパイです」

それで僕にもやっと呑み込めました。つまりテムは「おっぱい」と「いっぱい」を覚え違いしていたのです。僕はテムにそれを説明し、二人で大爆笑しました。そんなことをしているうちに、僕たちは短時間ですっかりうちとけてしまったのです。

そうやって最初の緊張がほぐれてしまうと、やっと周囲にも注意をはらう余裕が生まれてきました。

向いの席を見ると、足達さんが何やら身ぶり手ぶりで一生懸命に相手の子としゃべっています。その子はテムよりは一つか二つ年上のようでしたが、それでもまだ二十歳《はたち》にはなっていないでしょう。黒髪のサラリとした、負けず劣らずの美人でした。しかし、英語も日本語もだめなようで、足達さんはとにかく必死でタコ踊りを演じながらも、なかなかまんざらでもなさそうな様子でした。

それにひきかえ、普段はあんなにガラッパチで騒がしい川村部長の席がいやにシンとしています。

そちらに目をやったとたん、僕は思わず吹き出しそうになってしまって、それをこらえるのにずいぶん苦労をしました。

川村部長の相手というのが、これはもう筆舌に尽しがたいような「ヘチャ」だったのです。南方系には美人が多いというのは定説のようですが、世の中やはり何事にも例外というのはあるようです。どう形容したらいいのでしょうか。「オコゼが橋ゲタに激突して脳震盪《のうしんとう》を起こした」ような顔、というか、「ヤマイモの腐ったのをバナナの木のてっぺんから落としてつぶした」ようなというか、とにかくそんなような顔で、しかもガリガリにやせてアバラが浮きでて全体に蒼黒い感じのする女が、太腿《ふともも》をボリボリかきながら川村部長の横に座ってビールをすすめているのです。

当の川村部長はというと、もうこの世の苦悩を一身に背負ったような渋面をつくって、うつむいたまま一言も口をきかずに狂ったようにビールを飲んでいるのでした。

それはまあ、気の毒といえば気の毒なのでしょうが、何とかしてあげねばという営業マンとしての心得よりも先に、おかしさの方がこみ上げてきて、僕は笑いを何とか嚙み殺すのがやっとなのでした。足達さんもさすがにその場の雰囲気を感じ取ったのか、し

きりに川村部長に声をかけて、

「おい、川村。この魚の煮こごりみたいのうまいぞ。え？　食ってみんか」

などと言うのですが、川村部長はもう口の中で何やら〝ムウッ〟とか変な音声を発するだけで、返事もしません。足達さんは仕方ないので、

「うん、うまいわ。こら、うまい。うん、うまいわ」

などと自分に言い聞かせています。

そこへタニさんがニコニコしながら入ってきました。どっか別の部屋で、さっきのやり手ばばから一杯ふるまわれてでもいたのでしょう、ほんのり赤くなった目先をうるませながら、

「えー、みなさんの中で……」

言うより早く、川村部長はその場にスックと立ちあがると、コップをぐっと突き出し、

「お水くださいっ、お水っ!!　お水くださいっ!!」

と叫んだのでした。

3

夜になって、やっと空から重々しい雲が消えたのか、ホテルの部屋から眺めるクェ・

ジュの海はガスのもやをとかれてクッキリとしていました。

漆黒の海ですが、水平線がそこにあることはカッターで覆いを切り落としたようなその境目から、無慮無数の星々がキラめきながら立ちのぼっていることでわかります。

僕はベランダにしつらえられた籐椅子《とういす》に、テムと向いあわせに腰をおろし、その夜景に見入っていました。

この島には灯火を使って烏賊《いか》や小魚を寄せる釣の技術がないのでしょう、夜釣の舟も見えません。あるのはただ、波の音と、磯《いそ》の匂《にお》いのする微風と、星の光を無数にはね返す黒い波間だけです。

ルーム・サービスで取り寄せた果実の皿を前にして、テムは手持ちぶさたそうです。それは判《わか》っているのですが、だからといって僕にもこれといってしゃべることはありません。正直に言えば、僕は今日一日の気疲れがひどくて、このままとろけて眠ってしまいたい気がしていました。

「あなた、ともだち、おもしろい」

テムが思い出したようにクスクス笑いを始めました。

「ともだち？　おもしろい？」

「こわいのかおのともだち、ながいのかおのともだち、おもしろい」

そういうと、テムはもう我慢できなくなって笑い出すのでした。テムはさっきのナイトクラブでの川村部長と足達さんのことを言っているのです。

あのリョーテイで食事をすませたあと、僕たちはホテルに帰りました。「お水ください」――をした川村部長は、気をもまされた分だけご利益があったのでしょう。スラッとした女優さんみたいな女の子が替りにやって来て、人間ってこれほど短時間で機嫌がかわるものかと情けなくなるくらいのはしゃぎようでした。嬉々《きき》としてルームナンバーを書いて渡す二人と一緒に、ボクも小さなメモ用紙をテムに渡しました。豹変《ひょうへん》したという点では僕も決して人のことなど言えません。ついさっきまでこういうことへの嫌悪感にさいなまれていた僕が、今ではこの初恋の女《ひと》Iさんに酷似した南方美人にすっかりのぼせあがってしまっていたのですから。不思議なことに、一度テムがIさんに似ていると思いだすと、そのいたずらっぽい笑い方や、どことなくシャイな仕草や、何から何までがよけいにソックリに思えてくるのでした。

タニさんが言ったとおり、ホテルの部屋で待っていると、キッカリ一時間後にテムがチャイムを押してやって来ました。民族衣裳からシックなワンピースに着替えたテムはなおのこと可憐《かれん》で、制服を着替えて今からショッピングに出ようという女学生のような初々しさを感じさせました。

テムは少し恥ずかしそうな様子で部屋に入ってくると、ベッドのはしっこにツンとお尻《しり》をのっけて僕の方を見、

「わたし、きました」

と言いました。

僕は思わず、

「はい、そうですね」

と言ってしまい、自分でもその返事のトンマさにあきれて笑ってしまいました。テムもつられて笑いました。

それきり言葉が途絶えてしまったので、僕たちはテレビを見ました。それはニュース番組で、しかつめらしい顔をしたアナウンサーが、この国の軍隊のパレードのフィルムをはさんで何かしゃべっていました。別に大したニュースではないらしく、テムは見ながら小さな欠伸《あくび》をひとつしました。そのかわいい欠伸のせいで僕はますます間がもたなくなりました。

ちょうどそのとき、電話のベルが鳴ったのです。川村部長でした。

「おい、どうや？」

「ど……どうや、って……何ですか」

「うわぁっはっはっは。君なんか若いからもうパンツ脱いどるころやと思うてな」

「バカなこと言わないでくださいよ」

「いやあ、しかし、君の相手もええ子やが、ま、ワシのが一番ベッピンやろうが」

「はい、そう思います。おめでとうございます」

「お水もらったかいがあったわい。ひぇっへっへっへっへっへっ」

「部長にそうやって喜んでいただくと、僕もうれしいです」

「お前がワシに何してくれたんや。恥を忍んでお水もろたんはワシやないか。普通やったらああいうときは、お前がタニさんとこへ飛んでって、すいませんが部長にお水を、とか何とか段取りするもんと違うんか。ええ？」

「はっ、その通りです。気がつきませんで申し訳ございませんっ！」

「うわっはっはっは。まあ、ええ。若いうちは誰でもそんなもんや。それよか、おい。まだ九時や。今からいきなりナニいうのも無粋な話や。足達も誘うて、女の子連れて、どこぞヂスコでも行かへんか、ヂスコでも」

「ああ……ヂスコですか。ようございますねえ。是非おともさせてくださいっ!!」

しかし、幸か不幸かこのクェ・ジュ島にはヂスコは一軒もなくて、結局我々がタニさんに案内されたのは、島で一番大きいというナイトクラブでした。その造りがまた、昔、日本を席巻したマンモスキャバレーにそっくりで、七色のミラーボールのライトに照らされて、フィリピン人のバンドが「ブルーライトヨコハマ」を演奏しているのでした。川村部長も足達さんも、ほんとをいうとこういう店の方が尻の座りが良いらしく、豪勢にもバレンタインを一本あつらえてのドンチャン騒ぎになってしまいました。

足達さんは膝《ひざ》の上にのっけたアイカタの女の子から口移しにウィスキーを含ませられながら、

「ふむ、こんな島にしてはなかなかいい店や」

と言ってから、相手の女の子にもう一度、

「なかなか、いい店や」

と言いました。四、五秒おいてから口の中で、

「なかなか、いい店や」

とつぶやいて、今度は僕の方に顔をヌッと近づけて、

「いい店だな、なかなかな！」

と言いました。

それにしても、川村部長の相手の女優顔の美人は、なかなかの酒豪のようで、部長につくった水割りを部長が一口飲むと残りを引き取り、自分でグビグビッと飲み乾してしまうと、自慢そうにその空のグラスをみんなに見せるのでした。そのニッコリと微笑んだ姿がまた艶然《えんぜん》としていて、我々はホォーッというため息とともに、ヤンヤヤンヤの喝《かっ》采《さい》を贈るのでした。

フィリピン・バンドが「昭和枯れすすき」を演奏し始めると、足達さんが相手の女の子に向って、

「イッツ・チーク・タイム!!」

と言いました。足達さんにせかされて、僕とテムもダンスフロアに駆り出されました。僕はステップなんか知りませんので、ガムシャラにテムの体を抱きしめて踊りのマネをするのですが、意外な弾力で僕をはじき返してくるテムの胸や、腰のくびれの豊かさなどを感じて、すっかり夢のような心地になってしまいました。前の方がすっかり硬直してしまい、なんとかテムにさとられまいとするのですが、こう密着していてはそれもかないません。

僕の異変に気づいたテムは、最初のうちは知らないような困ったような顔をしていましたが、そのうちに、あのIさんにそっくりのイタズラっぽい微笑を浮かべると、僕の肩を軽く優しく噛みました。そうしたら、ツーンと甘い疼痛《とうつう》が僕の背筋を何ともいえない感じで駆け抜けたのでした。

ダンスを終わって、僕や足達さんがボックスに帰ると、待っていた筈《はず》の川村部長の姿が見えず、例の女優顔の美女が、グビッ、グビッと、かなりのペースで水割りをたいらげています。どうやらこの子はかなり酒が好きなようです。

しばらくすると、川村部長が何か青ざめたような顔をして戻ってきました。

「おい。今、ここのトイレに行ったらな、変な目にあったんや」

「えっ、どうしたんですか」

僕は驚いて聞き返しました。

「うん。トイレでな、オシッコしてたらな、誰かがワシの背中をさわるんや。びっくりして振りむいたら、何か蝶ネクタイした男がワシの後ろに立っとって、ワンがションベンしとるのに、ワシの背中を揉《も》んだりするんや。ほんで、トイレ出かけにチップや言うて五ドルもとられた」

「ええっ！　五ドルもとられたんですか」

部長の相手の女優顔が、水割りをグビグビッと飲みながら、キャーッハッハッハッと笑いました。僕も、そんなバカな、と笑っているうちはよかったのですが、そんな話を聞くとなぜか急に尿意を催してきてしまったのです。オシッコして五ドルもとられてたまるか、というので我慢していたのですが、そのうちにどうにもたまらなくなり、トイレに立ちました。

大きな、広いトイレですが、確かに部長の言ったように、入口の周辺に蝶ネクタイをした男がさりげなく立っています。僕はもうそれどころではなかったので、走るように駆け込むと気持ちよくオシッコを始めました。最初の胴ぶるいが終わって一息ついた頃、誰かが僕の背中を、チョッ、チョッとさわっているのを感じました。

「来たな!?」

と僕は思いました。どうやら、その手はワザとらしく僕の衣服についたゴミをつまみ取っているようなのです。そのあと、急に僕の肩がムズッとつかまれ、ワシワシワシッと反動をつけて揉まれ始めました。しかしこっちは何せオシッコの最中なのです。変なゆれを与えられたオシッコは、とんでもない放物線を描いて辺りに飛び散り、僕はもう少しでズボンのすそをグショ濡《ぬ》れにするところでした。なんとか放尿を終えて、手を洗おうとすると例の蝶ネクタイがササッと忍び寄ってきてオシボリを差し出します。それを使って、トイレを出ようとすると、蝶ネクタイは素早く出口に立ちはだかり、片手を出して、

「チップ!!」

と言いました。僕が一ドルを渡して出ようとすると、

「ノー!　五ドル」

と言います。にらみ直してやったのですが、その蝶ネクタイの視線には、五ドル出さなければ一生お前をこのトイレから出さねえゾ、というような気迫がこもっており、僕はシブシブ五ドルをこの男に渡して放免してもらったのでした。

ナイトクラブのボックスに戻ると、テムがステージを見ながらクツクツ笑っています。何事かと見ると、フィリピン・バンドが昔なつかしい「ローハイド」のテーマを演奏しており、その前で何やら一組の男女のショーのようなものが始まっていて、観客はそれに向ってヤンヤの拍手を送っているのです。しかし、よく見るとその舞台の上の男女は

ショーダンサーなどではありませんでした。何と、それは川村部長で、背広を脱いで四ツん這《ば》いになっており、その背にはもうすっかり酔っ払った例の女優顔がまたがって、馬になった川村部長のお尻をベルトでピシピシ打ちすえながら、

「ヒャーッ！　ヒャーッ！」

と絶叫しているのでした。

こりゃあ、いくらなんでもやり過ぎだ。僕は顔から血の気がひきました。いくら南の島だとはいっても、日本人観光客の多いクェ・ジュのこと。どこでどんな人が見ているか知れやしません。

僕は、足達さんの助けを借りて二人をステージから引っ張り降ろそうと思いました。ところが当の足達さんはどうしたことか、顔から脂汗をいっぱいたらしながら、ボックスのすみにうずくまっているではありませんか。

「あ、足達さんっ、どうしたんですか！　気分でもお悪いんですか」

「う、うーむ。きみ、早くこの店を出よう。早く出よう」

「どうしたんですか、足達さん。病気ですかっ⁉」

「いや、そんなことはないが、早う、出よう。この店を」

そういう足達さんの顔はもう蒼白《そうはく》で、ボタボタと汗が流れ落ちています。

「どうしましょう。医者を呼びましょうか？」

「いや……。医者なんぞいらん。ワシはウンコがしたいだけやから」

「え?………うんこ?」

足達さんは、急にウンコがしたくなったのですが、その直前に川村部長がオシッコで五ドル取られた話を聞いたために、ウンコなんかしたらいくらとられるかわからん、と思って我慢しているうちに気分が悪くなってきたのだそうです。

とにかく僕は、うなり続ける足達さんと、半狂乱の川村部長と女優顔などを救出して、ほうほうの態《てい》でそのナイトクラブを脱出したのでした。


「あなた、ともだち、おもしろい」

とテムが言うのは、今晩のこうした狂態のことだったのです。

僕たちはそれを思い出しては、馬になった川村部長や、脂汗をたらしてオシボリを握りしめている足達さんのモノマネをしたりして大笑いしました。

でも、一通り笑い終わると、僕とテムの間にはクェ・ジュの海と夜が紡ぎ出す沈黙が漂っているだけでした。僕はまた何となく間が悪くなってしまって、テレビのスイッチをひねってみましたが、十一時だというのにもう国営放送は終わっていて、シャーッという雑音が聞こえるだけなのでした。

僕は仕方なくまた海の風景を眺め始めました。そんな僕をテムはベッドの端にチョコンと行儀よく腰をおろし、クリクリした目で不思議そうに見つめています。彼女にとってはおそらく空気のようにあたりまえなこの風景を、僕がシゲシゲと眺めているということが不思議なのでしょう。

そのうちに僕は妙なものに気づきました。まっ黒な海が終わって満天の星月夜へと連なるあたり、そのちょうどあわいの辺に、何か一おび、星とは違う色調の輝きがあるのです。氷のような、星の輝きの冷たさとは異なって、赤やブルーや橙《だいだい》色の小さな点が集まって全体としてはザクロの果肉に近いような透明な光の帯が、水平線の切れ目のあたりに輝いているのです。

よく見ているうちに、僕はそれが街の灯だということに気づきました。この島から遠く離れた、どこかもう一つの島か、あるいは陸地かの街の灯《あか》りなのです。

「あれ。あれは何て街？　テム。あの灯りのあるのは何て街？」

テムは寄って来ると、僕の肩に小さなアゴをのせて僕の指さす方を見ていましたが、すぐに小さな声で、

「あれ、ロン・ジュね」

と答えました。

「ロン・ジュ？　大きな街？」

「ロン・ジュは、キャピトルのシティですね」

「キャピトル？　じゃ、大きな街なんだ。テムは行ったことがある？」

「行ったこと、ないです」

テムは恥ずかしそうに首をふりました。

「行ってみたいですか？」

ときくと、テムは僕の肩の上でアゴを二、三回、カクッカクッとさせてふざけ、

「ロン・ジュ、わたし、行きたいです。でも、ロン・ジュはお金ない人、行けない街です。ロン・ジュに行く、お金たくさんいります。でも、わたし、行きたいこと、ありません。わたし、クェ・ジュからどこか行ったことありません」

と言いました。そしてそれきり僕の肩に頭をあずけると、いつまでもじっとそのロン・ジュの街灯りを見つめているのでした。


ずいぶんと長い間そのままでいて、それから僕とテムは明りを消してベッドに入りました。テムは、シャワーを浴びたあとのパンティ一枚の姿で僕の横にもぐり込んできました。その体を抱きしめたとき、僕は、女の人の体というのがどこまでも際限もなくスベスベしていて、危なっかしいほど柔らかなことに、まず驚きました。それは何か男とは全く別種の美しい動物のようで、おそるおそるの僕の愛撫《あいぶ》にこたえる身のくねりや小さな吐息などが、さきほどまでのどちらかというと茶目っ気があってほがらかなテムと

は、まるで別人のような悩ましさなのでした。

僕はそれまで女の人の体というのを、映画の画面や、雑誌のグラビアでしか見たことがありません。それはそれでエロティックなのですが、ただしそういった画像には、大きさの観念がないのです。アップになった乳房はどこまでも、たおやかに巨《おお》きく、形のいい腿はスカートの奥に向ってそれこそどこまでも長く続くかのように思われます。それを眺める僕たちは、その都度、巨人になったり小人になったりする女体を、いわば形だけをたよりに追っているわけで、そこには等身大のリアリティやエロティシズムが欠如していたのです。

しかし、今夜抱きしめたテムは、そうした蜃気楼《しんきろう》の仲間ではありませんでした。双《ふた》つの乳房はツンと上を向いて形の良さを誇示してはいても、僕の手のひらにちょうど隠れるほどの大きさであり、スベスベした腿はどんなに長くても、あっという間の愛撫で、その終着駅である豊饒《ほうじょう》な谷間へとたどり着くのでした。

そのほんのわずか二十分ほどの間に、僕は今まで本や映画の中で観念的に見聞きしていた知識の数々を、いちいちこの手のひらや肌で実際に確かめることができたのでした。それはなにか、パズルを解いていくのにも似たスリルをともなった感激でした。

放心したようにバスにつかっていると、電話のベルが鳴りました。体を拭《ふ》くのもそこそこに電話に出ると、川村部長の声です。

「あ、部長。いかがですか、調子は」

「それがな、君。悪いんやが、タニさんに連絡とってもらえんやろうか」

「こんな遅くにタニさんに連絡とってどうするんですか」

「あの……、もういっぺん『お水ください』できんかどうかきいてみてくれんやろうか」

「お水って……。川村部長、お水したおかげで、すごい美人にあたったじゃありませんか」

「それがなあ、あの女、美人にはちがいないんやが、酒乱やったんや」

「酒乱!?」

そのとき、電話口のむこうから、女の狂ったようなキャハハハハという笑い声が聞こえ、続いて、

「お、おい、何するんや」

という川村部長の声がしました。お馬、お馬と叫んでいる女の声とともに、電話はプツッと切れてしまいました。

僕はしばらく起きて待っていたのですが、その晩はもう川村部長からはかかってきませんでした。

僕とテムはそれからもう一度愛しあい、明け方近くにも半分眠りながら愛し合いました。

4

翌朝、僕たち三人は朝食のために一階のレストランに集合しました。

驚いたことに川村部長の目の下には、ほんとうに墨で描いたようにクッキリとした隈《くま》ができているではないですか。頬《ほお》もげっそりとこけて脂気がなく、人間の顔って一晩でこんなにも変われるものかと思うほどのやつれようなのです。

その顔を見るなり、何も知らない足達さんは、川村部長の背中をドンと力一杯たたいて、

「いよっ、日本一の色男っ！　すけべっ!!」

と大声で言いました。それから、

「すけべえやなあ」

ともう一度言って、さらに口の中で、

「すけべえや。うん、すけべえや」

と二回繰り返した後、ニタアッと笑って、

「何個したあっ⁉」

と尋ねました。

川村部長は返事をする元気もない様子で、コーヒーのカップをかきまわしていましたが、やがて、

「何個もヘチマもあるかいな。一晩中ケタケタ笑いやがって、ワシの土産用のウィスキー全部飲みよって、お馬せえ、お馬せえゆうて大暴れしよるし……あんな酒乱の女見たん初めてや」

「ハッハッハ。ナイトクラブ行ったときからだいぶ酔うとったからな。しかし、あんたのこっちゃ。することはしたんやろうが。えっ？　何個した。えっ？　何個した⁉」

「そらワシもな、こうなったら意地や思うてな、頑張ったがな。とにかく暴れ疲れておとなしなるのん待つ手や思うてな、一生懸命介抱したんや。それで明け方くらいにやっと静かになってきよったから、もうボチボチや思うてな、こう馬のりになって一儀に及ぼうとしたんや」

「『一儀に及ぶ』⁉　そらまた、えらい古い言いまわしやなあ」

「そしたらやな、あの酒乱女がクルッと体《たい》を入れ替えて、俺の上になりよったんや。〝おっ、これは騎乗位でサービスしてくれる気やな〟と思てワシ喜んだがな」

「ほう、いきなり騎乗位のう。南国の女は大胆やのう」

「それで、いつ始まるんか思て、女の顔見とったら、その顔が妙にこう青白うてな、ワシのことすわった目でジイーッと見とった思たら、いきなり……」

「いきなりどうしたんや」

「ゲロ吐きよったんや。ワシの顔の上に！」

「ゲ……ゲロ!!」

川村部長のコーヒーを持つ手がブルブルと震え始めました。足達さんは、口の中で小さく、

「……ゲロ。……ゲロ」

と何度も呟《つぶや》いています。

「やあ、おはようございます。よい天気の朝ですね」

ニコニコしながらタニさんがあらわれました。川村部長はムッツリとして、鯖《さば》の腐ったような目でタニさんを見返しました。

「さて、今日は島内観光するよ。皆さん、どんなとこ行きたいか言ってみて下さいね」

「タニさん。観光もいいんだがな。ちょっと相談があるんだ」

「相談？　何でも言ってください」

川村部長はタニさんの耳もとに口を寄せると、何やらヒソヒソと話し込み始めました。ときどき話のはしばしに、「お水がどうした」とかいう言葉が聞きとれます。タニさん

が胸をたたいて、話し合いがうまくいったのでしょう。川村部長はいくらかホッとした様子でトーストに手をつけ、かじり始めました。

「わしもお水が欲しいっ!!」

足達さんが突然大声で叫びました。

「お水って……お前んとこはうまいことといってたんとちがうのか」

「そら、うまいことといってたのはいってた。なかなかええ子やった。しかし、せっかく来たからにはやはりワシもお水が欲しい。人情としてな……」

そう言った後、足達さんは僕とタニさんと川村部長の顔を順番に眺め、一人に対して一回ずつ、

「人情として」

と言いました。

その日は島内の大きな火山湖や、寺院、博物館などを見物し、ウミウシのサラダやフルーツバット（大コウモリ）などの珍食にもありつきました。川村部長はグッタリと打ちしおれて、ほとんど車の中で眠っていましたが、夕方になると元気を取り戻し、いそいそとした様子で足達さん、タニさんと共に昨日の「リョーテイ」へ出かけて行きました。

南国の長い陽《ひ》がようやく沈み、ベランダ越しに闇《やみ》が降りてきた頃、小さくドアをノックしてテムがやって来ました。白地にあるかないかの淡いブルーが浮かんだドレスをふんわりとまとったテムは、名前は知りませんがこの島のあちこちに見うける白い花のように清楚《せいそ》に見えました。

テムは、まるで体重などないような軽い足どりで歩み寄ってくると、僕の肩に小麦色の裸の腕をまわし、軽く子供にするようなキスをしました。

「コンニチハ。待ちましたか」

「ああ。待ってたよ」

「ほんとですか。待ってましたか？」

「ほんとです」

初級日本語のあいさつがすむと、僕たちは夕食に出かけることにしました。レストランや観光客相手の店でなく、現地の人が食事をするようなところを案内してくれ、と言うとテムはしばらく考え込んでしまいました。

この島の人たちの主な収入源は観光と漁業です。それもそんなにたいした収入ではないので、外食をする習慣というのがあまりなく、食堂といった食堂もないらしいのです。

考えたあげくテムは遠縁にあたる親戚《しんせき》の漁師の家へ僕を連れて行ってくれました。

ワラぶきの背の低い家のすぐ目と鼻の先にある砂浜で火をおこし、漁師に魚をわけてもらって焼いて食べようという趣向です。

夜の闇はすっかり深くなり、炎に照らし出された砂浜には人っ子一人いません。黒々と怪獣のような漁船のシルエットがあるだけです。

やや丸みを帯びた水平線も漆黒に閉ざされ、その向うからボウッとした光がこぼれています。昨日の夜、一緒にみたロン・ジュの街の灯りでしょう。

僕たちはシュロのかごに盛られた銀色の小魚を手当り次第に細枝に串刺《くしざ》しにすると、焚火《たきび》のぐるりの砂地に立てました。

途中で仕込んできたホワイト・ラムの栓をあけます。コップがないので僕とテムはボトルをまわしあってラッパ飲みをします。

空っぽの胃の中に熱い棒のようなものが押し入ってきて、その熱が段々と体中へと拡散していきます。

銀色の小魚の脂のはぜる音。深い波の響き。パチパチと燃え上がる流木。耳に入るものといって、その三つだけです。僕たちは二人とも黙り込んだまま、黒い水平線の向うのロン・ジュの灯を眺めています。

少し酔いがまわってきたのでしょう、テムは僕の肩に小さな頭をあずけてきました。柔らかい髪がさらさらと僕の肩や腕をくすぐります。

「あなたは、わたし……」

と言いかけて、テムはふっとまた黙り込んでしまいました。

「なに？」

と聞き返すと、

「いえ。いいんです」

と少し微笑んだまま答えてくれません。

「魚、焼けました」

銀色に輝いていた小魚は、いつのまにか狐色《きつねいろ》に焼きあがっています。

僕たちはそれを砂浜から抜き取ると、手づかみのままかぶりつき、際限もなく食べ続け、飲み続けました。

僕はだんだんに押し寄せてくる恍惚《こうこつ》感の中で、ボンヤリと考えていました。

「テムは、僕が自分のことを好きか、と尋ねたかったんだ」

それを考えると、何か複雑な思いがするのです。好きなことはもうまちがいないのですが、この二人の関係を形作っている土台が「お金」だということを考えると、僕には何も答える資格がないように思えるのでした。

浜に僕たちが投げ捨てた魚の小骨に、小さな蟹《かに》たちが無数に集まってきました。

まっ暗にしたホテルの部屋の中に、ベッド・サイドのラジオのライトだけが赤くまたたいています。

僕とテムはシーツの上で、何かしら陽気な獣のようにじゃれ合っていました。

僕たちは、あの浜辺でホワイト・ラムを一本、空にしてしまい、すっかりできあがってしまっていたのです。

僕はその空ビンに何か手紙を詰めて海へ流そうよ、とアイデアを出しました。「S・O・S」みたいな、世界へのメッセージか、相合傘に「TEM↑TOYOSHI」と書いた紙切れか、何でもいいから詰めて海に流そうよ、と僕は主張しました。

テムはしばらく考えていましたが、僕が初めて見るような意地悪そうな笑みを浮かべると、

「わたし、いい考えあります」

と言いました。そして、僕からその空ビンを奪うと、近くの繁《しげ》みの中へ姿を消し、しばらくしてからビンをぶら下げて戻ってきました。

手にした空ビンには、何か液体が六分目ほど詰まっており、ギュッと栓がされています。

「これ、何?」

いぶかしげな僕の声に、テムはいたずらっぽく笑って答えました。

「わたしのオシッコです」

「オシッコ？」

「S・O・S・トゥ・ザ・ワールドね」

僕たちは砂浜をのたうちまわって笑い転げました。

このビンを受けとる、どこかの島の漁師か、どこかの船の水夫かの不審そうな顔を想像すると、もう笑いは止まりようがないのでした。

今、こうしてホテルのベッドで戯れている最中にも、どちらかが小さな声で、

「S・O・S」

とささやくと、その瞬間にエロチックな気配が吹き飛んで夜更けの哄笑《こうしょう》へと変わるのでした。

そうやって、シーツの上で笑い転げたりじゃれあったりしているときに、電話のベルが鳴りました。僕は何かイヤな予感がしましたが、仕方なく受話器を取り上げました。

「もしもし？」

「おお、伊島クンか。川村や」

「あ、部長ですか。どうされました」

「いや、変な話やけどな。キミ、ズボンの替え、持ってきてるか？」

「ズボンの替え？　ええ、ズボンは二本持ってきてますけど……。どうされたんですか？」

「ワッハッハッハ。いや、あれから『リョーテイ』へ足達と行って、『お水』したんや。まあ、けっこう可愛らしい子がおっての。それで、すぐナニっちゅうのもナニやと思うて。けど、行くとこゆうてもナニやから、昨日のナイトクラブへまたみんなで行ったんや」

「はあ」

「うん。それで、トイレへ行ったら、また昨日の肩揉み男がおったんや」

「いましたか、同じ奴が……」

「うん、おった。そいつがワシの顔を覚えとったんやろうな。二日も続けてこんな高いクラブへ来るのはよっぽどの上客やと思たんやろ。肩揉み、ムチャクチャ張り切りよってなあ」

「はあ……」

「オシッコしてる最中やのに、めったやたらに力入れて肩揉みよるもんやから、オシッコがビョンビョンあっちこっちへ飛んでのう……」

「はい」

「ワシのズボンの前、グショグショになってしまいよったんや。ほんで今、ホテル帰ってきたんや。ズボン貸してんか」

「わかりました。すぐ伺います」

僕は大あわてでパンツをはき、身仕度を整えると、替えズボンを持って川村部長の部屋へ行きました。

川村部長はステテコ姿でマンゴーを食べていました。

部長のそばには、二十二、三くらいのクリクリッとリスみたいな目をした女の子が待っています。部長は、オシッコでベチョベチョにされたにもかかわらず、大変満足そうな様子でマンゴーにかぶりついています。

「おう、おう。すまんのう。すまん、すまん。たかが、二、三泊のことやと思うて、ズボン持ってこんかったんが一生の不覚やった。しかしなあ、キミ。トイレにあんな脱穀機のコワれたような奴がおるとは、なんぼワシでも予測でけへんからのう。いや、すまんすまん。おおきに、おおきに。しかしなあ、キミ」

「はい？」

「世の中、そう悪いことばっかりやないで。え？　昨日はエラい目におうたけどな。この娘《こ》見てみいな。え!?」

川村部長は、フォークでマンゴーを突き刺して、傍らのリス娘にさし出すと、

「はい、アーンして。あなた、マンゴー食べる。わたし、マンコ食べる。ユー、シ

ー？」

などと言って、崩れたような形相で大笑いしています。

僕は、酔っていたせいもあるのでしょうけれど、いくら接待旅行とはいえ、ほとほとウンザリした気分がこみあげてきて、あいさつもそこそこに部長の部屋を出たのでした。

部屋へ帰ると、テムはシャワーを浴びたのでしょう。黒く濡れた髪をタオルでかき上げながら、僕を待っていました。

「用事、すみましたか？　お風呂《ふろ》、はいりますか？」

「いや。お風呂いいです。それより、続きがしたいです」

「何の続きですか？」

テムがじらすようにわざと尋ねます。

「ナニの続きです」

そう言ってテムをシーツの上に押し倒そうとしたとき、また電話のベルが鳴りました。どうせ川村部長でしょう。持っていった替えズボンのサイズが合わないとか何とか、そんな下らない用事に違いありません。

泣きそうな気持ちで受話器を取ると、流れてきたのは足達さんの声でした。

「おお。足達や」

「はい、どうされました。ズボンの替えならあと一本ありますよ」

「いや、それは川村のことやろ。ワシがあの店で、ウンコ我慢しとったん覚えとるでしょうが。そうやないんや。実は、タニさんに連絡とってほしいんや」

「タニさんに？　どうしてですか？……まさか……」

「『お水』したいんや」

「ちょっと待ってくださいよ、足達さん。今日『お水』して、別の娘を選んで連れてこられたんでしょう？」

「うん。それはその通りなんやが。二人きりになってみてわかったんやけど、どうもこの子、暗いっちゅうかな。顔とかはええんやけどな。どうも、その……ヒーリングが合わんのやな、ヒーリングが。……人情として……」

　その「ヒーリング」を聞いたとたん、僕の中のどこかで小さなダムが決壊しました。相手が得意先の人だということや、叔父からソソウがないようにと重々釘《くぎ》をさされていたことなどの全《すべ》てが、ホワイト・ラムの酔いと一緒になって、どこかへぶっ飛んでいきました。意識のどこかで、「いけない、いけない」という小さな声がしているのですが、僕のノドからは押さえようのない奔流が流れ出していました。

「足達さん。あなたね、『ヒーリング』じゃないでしょ、『フィーリング』でしょ？」

「お……、そうかな。フィーリングな」

「あのね……、いいかげんにしてくださいよね。あなたのやってるの、八百屋で大根買ってるのと同じことでしょ。大根だったら何でもいいんだ。食って大根の味がすりゃ、それでいいんでしょうが。ヒーリングもへちまもないでしょうが。あっちこっち汚い指でさわりまくるのやめてくださいよ。八百屋のオッサンだってしまいには怒りますよ」

「君の言っとることは、よくわからん。ヒユの選び方が適切でないんやないかのう」

「そうですか。じゃあ、こう言い直しましょう。タニさんの電話番号をお教えしますから、ご自分の『お水』はご自分で汲《く》んでください。よろしいですか？　私たち、これからいいところなんですから」

「おっ、ピンクレディやな」

足達さんは、僕が決死の覚悟で言ったことが全然こたえてないらしく、受話器の向うで、「ふむ、ペッパー警部」と四回くり返して言いました。僕は足達さんにタニさんの電話番号を告げると、たたきつけるように電話を切りました。

それから、このクサッた気分を振り払うようにテムの胸に飛び込むと、それは柔らかくて香りのいい高原のようで、自分でも驚くほどの短時間で先程までの全てが頭の中からふっ飛び、それは素敵な気分が体中を包むのでした。

そして明け方までに、また僕たちは三回も愛しあったのです。

翌朝、二日酔のガンガンする頭をたたきながら部屋の窓をあけると、クェ・ジュは着いた日と同じように灰色の霧雨に包まれていました。

テムは、シーツのはしっこからトビ色の脚をのぞかせて眠っています。

デキャンタから生ぬるくなった水を口飲みにして、煙草に火をつけると、何かぼんやりとした煙のような憂鬱《ゆううつ》が二日酔の頭にたれこめてきました。

今日は、この島を離れる日です。

煩雑な仕事の待ち受けている日本へ帰らねばなりません。

それにもまして僕を憂鬱にさせるのは、テムに「お金」を払うときが近づいてきているということでした。

「一日について、三万円あげてください。女の子、日本円の方が喜びます。ドル、だめです」

タニさんの声が、頭の中によみがえります。

二日分の六万円。それをテムにわたせば、それでこのゲームはおしまいです。この二日間のできごと、笑い転げた夕方や、情熱的な夜々、それらのむずがゆいような、甘いような思い出の数々に、「お金」という正札がペッタリと貼《は》られるわけです。

映画館の暗闇から、「お帰りはこちら」と白昼の道路へ放《ほう》り出されるときのあの失墜にも似た感覚。値札を首からぶらさげられた幻想。

やれやれ、といった感じで僕はバッグから財布を取り出し、札を数えました。万札をきっちり六枚数えると、それを抜いてズボンのポケットに入れました。

ポケットの中には、それとは別に、ドルの札束が入っています。換金した金が、確かあと、百ドルほど残っているはずです。

「この中のいくらかを、チップとしてテムにあげよう。六十ドルくらい残しておけば土産も買えるだろう」

と僕は胸算用しました。

それから電話で、ルームサービスのコーヒーを頼みました。

その声で、テムが目をさましました。

目をこすりながら、少しはにかんだようすで僕に微笑みかけます。

「おはようございます」

「おはよう」

「あなた、今日、日本、帰るの日です？」

「うん、もう少ししたら、ロビーに集合して、そのままタニさんの車で空港へ行くことになってる」

「今度、いつ、クェ・ジュ、来ますか？」

「今度？」

「次の月、来ますか？」

「来月？　来月はちょっと来れないよ。日本とクェ・ジュはすごく遠いんだ。お金がたくさんいる。僕はお金持ちじゃないから……」

「じゃ、次の次の月、来ますか？」

「再来月もわからないよ。ほんとに、ここへ来るには、お金がたくさんいるんだ」

それを聞くと、テムは僕をベッドの上に引き寄せ、僕の髪や頬を指先で撫でながら、長い長いキスをしました。

それからバスルームに行くと、湯をはり、それに何か浴剤を入れたのでしょう、緑色でいい匂いのするお風呂をたててくれました。

僕が、体中から何か清涼な香りをさせながらお風呂から出てくると、テムはもうすっかり身仕度をととのえていて、例の白地に淡いブルーが浮かんだドレスを着てベッドに腰かけていました。

どうも、お金を渡すタイミングがきたようです。

僕はテムの横に腰をおろすと、ポケットから日本円の札とドルの札を取り出しました。

「テム。これ。六万円」

テムは、心なしか複雑な表情でその札を見ていましたが、やがて顔をあげてジッと僕の顔を見ました。微笑みが消えて、初めて見るような真剣な顔つきでした。

それから腕をゆっくりとのばし、札を受け取りました。

「それから、これはチップです。よくしてくれて、ほんとにありがとう」

僕はドルの札の中から、四十ドル分を抜いてテムに握らせました。

最後にテムの喜ぶ笑顔を見て、それでこの旅行をしめくくろう、というのが僕の予定でした。

予定とか計画とかいうものは、崩れ去るためにある、ということがわかったのはその直後でした。

テムは、手の中の四十ドルを眺め、それから僕の手の中の六十ドルを見ました。そして僕の方に手を差しだし、

「全部、くれるのです」

と言いました。

僕はビックリして、思わずテムの顔を見ました。

その顔には、さっきまでの甘やかな感じはみじんもなくて、少し怒ったような冷たいような感じが見られました。

「ダメ、ダメ。これをあげると、おみやげが買えなくなっちゃうよ。それに、さっき六万円ちゃんとあげたじゃない」

「いいえ、全部くれるのです。六万円はリョーテイのママにいく六万円。わたしのフィ

ーは、それとちがいます。全部くれるのですっ!!」

言いながらテムは、僕の手の中の札をつかむと、グッと引っ張りました。僕もあわてて引っ張り返しました。

「ダメだよ、ダメだよ。そんなにあげれないよ」

「全部くれるのですっ！」

引っ張りあいをしながらも、僕は素早く考えました。六万円全部がリョーテイのママに渡るなんてワケがない。せいぜい三分の一くらいピンハネするのがいいとこだろう。残りの四万円だって、この島の普通の家の月平均所得くらいの金じゃないか。二万五千円のチップなんて、そんなメチャな話があるもんか!!

「ダメだよ、ダメだよ」

「いいえっ、全部くれるのですっ!!」

テムは段々と鬼気迫る形相になってきて、全部くれるのですうっ、と叫ぶと、とうとう僕の手から札をもぎ取ってしまいました。

気迫に負けた感じです。

テムはそのお金をドレスの胸にササッと仕舞うと、今度は打って変わったようにニッコリとして、

「これで、いいのです。全部くれるのです。あなた、怒りましたか？」

と言いました。

僕はすっかり混乱した頭の中で、自分が今怒っているのかどうか考えてみましたが、やがて、怒ったところでどうなるものでもないことに思いあたりました。

「いや、怒ってない。怒ってなんかないよ」

しどろもどろに答える僕の顔はたぶんひきつっていたことでしょう。

その頬にテムはチュッとキスをして、

「あなた、大好き」

と言うと、ハンドバッグから名刺を取り出し、

「こんど、クェ・ジュ、来たら、また呼ぶといいです」

アドレスの入った名刺を僕に渡しました。

そして、軽やかにドアのところまで行くと、ひらっと振り返り、投げキスを一つ僕にしてから出て行きました。

部屋に一人で取り残された僕は、何が何やらわからないままに、ずいぶんと長い間、ボォーッとしていたようです。

それから、うすらボンヤリとした頭に浮かんできたのは、こんな考えでした。

「ま、ざっとこんなもんさ。……しかし、キッチリうまくできてるもんだな、世の中って……」

帰りの飛行機の中では、なぜか全員がムスーッとして黙り込んでいました。

飛行場へ向うタニさんの車の中で聞いたところによると、足達さんはあれからやはりタニさんに電話をして、『お水』を要求したのだそうです。しかし、夜が遅いこともあって、「リョーテイ」にはもう一人しか女の子が残っていませんでした。しかし、「ヒーリング」の合わなかった足達さんは、どんな『お水』でもかまわないからホテルによこしてくれ、と言ったのだそうです。

「ところがなあ、来たのを見ると、それが『女の子』なんてもんと違うんや。『お母さん』やで、あれは。五十はいっとったであれは……。そうかいうて、前の女の子はもう帰してしもとるしなあ」

足達さんは情けなさそうな顔で言うと、車の窓から外を眺め、

「わし、『岸壁の母』としてしもた」

と呟いて、そのあと肯きながら、

「ふむ、岸壁の母」

と三回繰り返しました。

飛行機が上昇するにつれて、クェ・ジュ島は見る見るうちに小さくなっていき、やが

て小さな緑色の点になってしまいました。

　川村部長は水割りでゆっくりとノドを湿しながら、

「結局、ワシら何やかんやあったけど、キミが一番ええ目したみたいやなあ」

　と、僕の方を見ました。

「いや、そんなことないですよ。部長だって、昨日の子は可愛らしかったじゃないですか」

「いや、それがなあ。顔は可愛らしかったんやけど、えらい欲の皮の突っ張った女でなあ。朝、金払うときに、ワシの財布から余分に三万円もヒョイッと抜き取りよるんや。〝何するんや、約束がちがうやないか〟言うたんやけど、チップや言うてきよらへんのや。かなりワシがんばって取り返そうとしたんやけど、もし変にモメて、『島育ちの地回り』みたいな奴が出てきてもややこしいことになると思うてな。泣く泣くあきらめたんや。キミはそんなことなかったか？」

　僕はグッと答えに詰まりましたが、ここは一番、イロ男で通さねばという気がして、涼しい顔で答えました。

「いえ？　そんなことはなかったですよ。部長、足元みられたんじゃないですか？　それにしてもひどい女ですねえ」

「うん、ひどい女や」

「しかしね、部長。こういうこと言ったらお気にさわるかも知れませんけれど、僕、世の中ってすごくうまくできてるなって気がするんです。結局、バチなんじゃないでしょうか」

「バチ？」

「ええ。だって、わざわざよその国へ行って、札束で顔をたたくようなマネして地元の女とヤルわけでしょ？　おまけに『お水』だの何だの、好き放題のことをして。僕があの島の若い男だったら、そういうの見ると放っとけないと思うんですよ。いつか、何かの形で復讐《ふくしゅう》してやるでしょうね」

「ウム。そうやろうな」

「だから、色んな目にあうってのも、結局キッチリとバチが当たってんじゃないでしょうか」

「なるほどなあ、バチか。バチが当たったんか、ワシら。その点、キミは『お水』とかせんかった分、バチが当たらんかったんやろなあ」

「いいえ、けっこうもうバチが当たってるかも知れませんよ？」

「？」

川村部長は不審そうな表情で僕の方を見ました。

5

その時点では、僕は、もう自分のバチはすんだものと思っていたのです。

甘い、愚かな夢を見たあと、テムの、

「全部くれるのです!!」

で、手ひどいけれど当然といえば当然の幻滅を味わって……。それでバチは終わったものと思っていたのです。しかし、それはほんの予告編のようなものだったみたいです。クェ・ジュから帰って、山積みになった仕事に忙殺されて一週間ほどたった頃でしょうか。

会社のトイレで小用を足していると、尿道のところにズキンと痛みが走りました。何かずっと奥の方までシミるような痛みでした。

「まさか!?」

という戦慄《せんりつ》が背中を走りました。

というのは、前の日の帰りの電車の中で、スポーツ新聞の、

「猛威をふるう非淋菌《りんきん》性尿道炎!!」

というコラムを読んだばかりで、

「世の中には、こんなものにかかるバカもいるんだなあ。スキンぐらいつけりゃいいのに」

と、せせら笑ったところだったからです。

ゾォッとしましたが、僕はすぐに頭をふりました。

いやいや、そんなはずはない。二十五年間も童貞で通していて、たった一回（正確に言うと六回ですが）そういうことをしただけで、性病にかかるなんて、そんな馬鹿《ばか》なことがあるはずがない。世の中、そんな不公平にはできていないはずだ。

そう思って、自分を納得させせました。

しかし、世の中というのは不公平なものだったのです。

次の日になると、膿《うみ》が出始めました。

痛みは激しくなる一方です。最初のうちは排尿時だけだったのが、とうとうチョッと腰を動かしてもズキーンとくるようになってしまいました。

歩いていてもヘッピリ腰になっているのを自分で感じます。

もはや一刻の猶予も許されない事態になっているというのが自分でハッキリとわかるのでした。

次の日は幸いにも土曜日で、会社の一週おきの休みにあたっていました。

八時に起きた僕は、歯もみがかずにまず電話帳で近所の医院をさがしました。性病科か泌尿器科のある医者。ところが、内科だの産婦人科だのはやたらとあるのに、その手の医院というのは近所には皆無なのです。僕は途方にくれてしまいました。

「そうだ。この際、交番で尋ねよう」

思い立った僕はとりあえず保険証をジーパンの尻ポケットに突っ込んでアパートをとび出しました。

バス停の近所にある交番に行くと、若い警官が中でカップ焼きそばをまずそうに食べているところでした。

「あの、すみません」

「ん？　何？」

「この辺に、大きな病院ってのはないでしょうか」

「大きな病院？　何て名前の病院？」

「いえ、そういうことじゃなくて、大きな病院があれば行きたいと思って探しているんですけれど」

「ああ、そういうこと。この辺には大きな病院ってもないよなあ。バスで二駅ほど行ったら、サマリア病院ってのがあるけどね。救急病院で。でも、大きい病院っていってもねえ。何科へ行きたいわけ？」

「はい。その。泌尿器科……なんかあると助かるんですけれども……」

「泌尿器科ねえ……。なるほど」

警官は口からこぼれたヤキソバをツッと啜《すす》り上げると、僕の全身を上から下までウサン臭そうに眺めまわしました。

「それならねえ、バスでちょっと遠いけど聖路加《セントルカ》病院まで行くといいよ。ホラ、地図でいうとここね」

「はあ……。今いるのがここですよね」

と僕が出された地図を指さそうとすると、警官は、ピクンとして、

「ちょっと、あんた。あんまりそこいら触りまわさないでくれる?」

と言ったのでした。


たどり着いた聖路加病院は、古いけれどガッシリとしたつくりの、大きな国際病院です。

一階の受付は満員で、いかにも「病気慣れ」したようなジイさんバアさんと、子供連れの若い母親が多く、僕ぐらいの年の男というのはあまりいません。

診察カードをもらって、二階にある泌尿器科の方へまわされました。

長くて暗い廊下に木のベンチがしつらえてあり、そこにもたくさんの老人たちが順番

を待っています。ジイさんとバアさんの真ん中にチョコンと座って、「それとなく」観察されている感じというのは、何ともいいようのないものです。

そんな中でタップリ一時間は待たされたのですが、待ちに待った診察は二分ほどですんでしまいました。

先生は、僕と同い年くらいの人で、シブガキ隊のモッくんに似たヤサ男でした。それがまた僕に何ともいえない恥ずかしさとみじめさを感じさせるのでした。

僕はさっきから頭の中でくり返していたセリフを、できる限り事務的に先生に告げました。

「えー。二日ほど前から、排尿時に痛みを感じるようになりまして、昨日、見てみますと分泌物が出ているようなので、これはもしかしてカノーしているのではないかと……」

先生は僕の方をチラッといやそうに見ると、

「あ、そう。パンツとって、そっち寝て」

と冷たく言いました。

横になった僕のナニの先っちょにガラス棒をあてた先生は、二、三秒その先端を見ていましたが、すぐに軽い調子で、

「あ、淋病ですね」

と言いました。

「え？　淋病って……。ほんもののヤツですか？　非淋菌性とかそういうのじゃなくて」

「ほんものの淋病ですね」

「あの……。雑菌とかそういうのじゃあなくて……」

「ほんものの淋病ですね」

「はあ……。ほんものですか」

「ほんものです。お尻に注射うちますからうつむいててください」

先生は僕のお尻にブスッと注射をうちました。

聖路加病院を出ると、もう昼に近いのか、カァーッと夏の陽ざしが照りつけてきました。

僕は二週間分の抗生物質の入った袋をワキにはさんで、ジンジン痛む尻たぶをさすりながら病院の門を出ました。

脂汗とも普通の汗ともつかないものがボタボタと滲み出してきて、ワキにはさんだ薬袋を濡らします。

僕は何かフラフラしながらバス停までの道を歩いて行きました。

すれちがう人の全てが、僕のことを笑っているような、そんな気がしました。

結局、そのおぞましい病気は、ちょうど二週間で完治しました。

考えてみると中耳炎か何かよりも簡単に退治できたように思うのです。

しかし、僕は今でもときどき想像してみることがあるのです。

どこかの海をプカプカ漂っている、ホワイト・ラムの壜に詰められた、淋病菌百%の、テムの「S・O・S・トゥ・ザ・ワールド」を。

文庫化に寄せて

この「頭の中がカユいんだ」は、事実上僕の出した最初の本になる。（厳密に言うと、この七年前に「全ての聖夜の鎖」という掌編集を自費出版で出している。特別なものなので計算に入れない）。そして、唯一の書き下ろし本でもある（共著は除く）。さらにもう一言つけ加えるなら、僕が一番好きな本でもある。これ以降の単行本は、すべてユーモアとエンターテイメントを志向して書かれている。それは僕の本望であって、現実というものはあまり愉快なものではないから、せめて書きもので創《つく》る世界は水気のない大笑いの大地にしてやれ、という意図にもとづいている。たとえばポルノの世界は、全《すべ》てが淫欲《いんよく》に支配された、一種非現実の奇形世界だが、それと全く同じ方法で、「セックス」を「笑い」に換えたのがこの「頭の中……」以外の本である。

ところが、この本は刊行時に「ノン・ノンフィクション」と銘うったとおりに、全てドキュメントを素にして再構成されている。だから痛痒《いたがゆ》く、美しく、糞《くそ》の匂《にお》いがしつつも透明だ。この本は、当時東京の月島に借りていたワンルーム・マンションの中で、実質的には四、五日で書かれたものだ。冒頭の「頭の中……」の後半三分の二などは二日で書かれている。一日目に五十枚、二日目に七十枚書いた。その異常な速さの推進力となったのは、アルコールと睡眠薬だった。この本は、つまりラリリながら書かれたものだ。したがって、世界そのものによく似ている。つまり、美しくて醜く、頭の中の痒みのように永遠にそれを掻《か》くことができない。そんなところが、僕は好きなのだ。

たとえば、「明るい悩み相談室」のファンの人がこの本を読むと、どういう反応が起こるのだろう。僕にはそれが興味深い。その人がどんな反応を示すにしろ、作者の側から断言できることは一つだけだ。書いた本は本それ自体で在り続けるだけで、それ自体は「虚」でも「実」でもない。なぜなら、僕が書いた本はたしかに僕の一部ではあるけれども、僕自体が「虚」でも「実」でもないからだ。それはたとえば、

1－1＋1－1＋1－1＋1－……∞＝0 or 1

という数式の答えのようなものだ。この数式が有限であれば、0なり1なりの答えが出る。人間にとってこの「有限」とは「死」の瞬間なのだろう。それまではつまり「書き続ける」しかない。本書のような話し方、もしくは生き方に戻ることも、近い将来、僕にとって有り得ることかもしれない。そんなことで、僕はもう一度、文庫になったこの本を読み返してみることにする。

なお、文庫化にあたってご尽力賜ったすべての皆さまと、文庫化をご快諾くだすった

大阪書籍の皆さまに、心より御礼申し上げつつ筆を擱《お》きたい。

一九九〇年一月（第一回目の文庫化に寄せて）

中島らも

解説　『どんぶり５６５６』は国民のＩＱを効果的に上げるだろう

モブ・ノリオ

いま、マリファナを吸いながら『中島らもの現代キイワードブック』を見ています。『どんぶり５６５６《ごろごろ》』、『なげやり倶楽部』を歴史に残した確信犯的キチガイ・中島らもが、テレビというメディアをオモチャにして遊んだ〈仕事〉の総決算とも評し得るこの深夜の特別番組は、自分の記憶に間違いがなければ、九〇年代初頭にモロッコ産ハッシッシ級の傑作『ディープキッチュ』へと発展的に継承された他は、幾多のアイデアを盗まれることはあってもその魂をまともにＲＥＳＰＥＣＴされたことは殆どなかったはずです。それとも、こないだのナントカ大事典とやらで大問題となった「納豆でダイエット」というテレビ放送、あれはもしかすると、『どんぶり５６５６』直系のダウナー・メディアテロリズムの過激な反復だったのでしょうか？　どう思いますか、レゲエさん。いや、まだ切らないでください。もっとお話ししましょうよ。千代田区《BABYLON》では未だにね、公衆電話に針金を突っ込んでタダで電話がかけられるんですよ……。

こんな、知らない人から、どちらかと言えば非口語的な言葉遣いで一方的に電話がかかってくるわけのわからない夢を見たのは、昔録画した『中島らもの現代キイワードブック』（関西テレビ）をビデオで見ながら居眠りをしてしまって、本書の解説を書きあぐねていたからかもしれない。いやはや、全くわけがわからない。「レゲエさん」とは誰だ？　夢の中のあの人は、何を伝えたがっていたのだろうか。

五十音順に、〈あ〉から〈ん〉まで、それぞれの文字で始まる言葉《キイワード》に対応した映像が、一見、てんでばらばらに、また繋がるべき箇所では意図的に繋げられて、一篇の不思議な長編ヴァラエティ・ビデオとなったその録画用深夜番組は、私の永遠の宝物だ。〈あ〉＝〈明るい悩み相談室〉の創作ＤＯＰＥ落語から始まり、〈か〉＝〈カンナビス〉、「アサ科の植物、大麻」と注がつく項目では、一体どこから仕入れたのか、実物とおぼしきギザギザの葉っぱが画面上に堂々と映し出され、顔に靴墨を塗った竹中直人と柄本明がレゲエの人に扮して……いや、やめておこう。関西テレビ様に再放送かＤＶＤでの発売をお願いしよう。お笑いだけではない。〈ノイズ・ミュージック〉の項では廃工場で演奏するノイバウテンの『半分人間』（石井聰亙監督）が、〈ち〉ではノイバウテンに勝るとも劣らぬ衝撃、〈千葉のジャガー〉のビデオクリップが、まだ無名だった頃のGONTITI《ゴンチチ》の撮り下ろし演奏風景や『てなもんや三度笠』の古びた白黒映像に交じって紹介される。〈と〉で始まる言葉が〈ドラッグ〉、〈さ〉が〈サイケデリック〉……。

嗚呼、『どんぶり５６５６』の名物コーナー、「テレビは家具だ」が無性に見たくなってきたじゃないか。困ったなあ。こういう時に『どんぶり５６５６』や『なげやり倶楽部』が全編映像ソフト化されて我々の手元になければ本当に具合が悪いのだよ、読売テレビさん。（無論、『どんぶり』の方は、「総集編」と、確か「総特集」だったか、番組が打ち切られた後で放送された、少なくとも二本の特集番組も含めてＤＶＤ化されなければならない。そのどちらかで流れた小林克也主演の短編映画『お父さんはブレードランナー』で、レプリカント役のきたろうが、数歩ごとにわざとらしく転びながら野原を駆けて遠ざかってゆくロング・ショット気味の光景は、今こうして思い返すだけでも、テオ・アンゲロプロスの映画を連想してしまうほどに美しすぎるのだから。）

夢の中の知らない人が何を言いたかったのか、さっぱり私にはわからないけれど、『どんぶり５６５６』を見たことがない新しい中島らものファンや読者にその存在を伝える最適の場所が、私にはこの場を措いて他にないのだとしたら、こんな風に、何かのお告げかもしれぬ夢の書き起こしから始めるのも悪くはないだろう。

【ＶＨＳビデオデッキがテープを再生する時に鳴るスーッという音のヤバさを知っていた男＝中島らもと松下幸之助】……『現代キイワードブック』を見ながら眠ってしまって、目が醒めてみると手元にこんな走り書きが残っていた。これも何のことなのかわからないが、折角だからここに書き留めておく。（本編の間に挟まっているビデオメーカ

―各社のCMも、今見るとかなりドープだ。）

　中一か中二で『どんぶり５６５６』の洗礼を受けた私は、中学を卒業して高校に入学する直前の、集団管理生活から一瞬だけ浮き上がった貴重な宙ぶらりんの時期に、つい昨日までは数学の教科書でその名に馴染んでいた版元から出たばかりの本書の単行本と遭遇した。完成したての地元百貨店の書籍売り場になぜか平積みされていたおかげで、〈変なテレビ番組に出ている、テレビに映るのがふさわしくないことだけは誰の目にも明らかな、何者かわからぬ変なおっさん〉のその本を、装丁とタイトルの面白さにも後押しされて金を出して買った。その時は、中島らもが何者かを知らずに『どんぶり』のファンになっていたので、「こいつ、本書くんや？」程度の認識しかなく、文庫以外の高い本を買うのは勇気が要ったが、ともかくその謎の人物にまつわる情報に飢えていたから買うしかなかった。

　既に中学生の頃にも、ＦＭ大阪で『月光通信』という番組が放送されていることは新聞のラジオ欄で知っていた。しかし生憎、うちの家はFUCKIN'奈良盆地の山々に邪魔されて、ＦＭの電波が入らない。山に勝てる高さの鉄塔のようなアンテナを庭に建てるか、山を削るか爆破するか……。どれも叶わぬ夢だったし、毎週その時間だけ大阪に家出するというイカした発想にも、それを実行する根性にも恵まれていなかった。同時期に連載されていた「啓蒙かまぼこ新聞」や「明るい悩み相談室」は、まだその存在を知らなかった。

つまり、『どんぶり5656』の次にどっぷりはまった中島らもの作品が、この『頭の中がカユいんだ』であったのだ。私は十五歳で、いわばダダイズムの密室から、何の準備もなく、売人のうろつく夜の街路へと這い出したようなものだった。

その本が、それまで読んだことのないタイプの作品だと気づいた時にはもう手遅れで、どんな本の中にもいそうにないアンチ・ヒロイックな語り手がかっこよくて仕方ない。読んでいる自分が、語り手よりも「バース君」に殴られる卑怯な中学生の方にずっと近いという事実には、気づいていないフリをした。聴いたこともない「村八分」の音楽を、本で読んだだけで聴いた気になっていたことには、情けなくも、なかなか気づけなかった。「俺もコントを書くのだ」と、決心だけはした。(だが、あれは何のためにだったのか?)万引きがかっこいいのかもしれないと考えるようになって、現に万引き中毒になってなかなかやめられなかった。せめて二十歳ぐらいまでにはマリファナを経験しておきたいものだ、とセコい村落共同体的虚栄心に取り憑かれたが、麻薬をやるような危険な人間、人間のクズとは昵懇《じっこん》になってはいけないので、そういう人種を騙すか利用するかして、麻薬と経験だけを安全に手に入れた後はさっさと縁を切ればいい、と自分勝手な近未来の計画を頭で練っていた。まさか将来の自分が、「大草原で一人で大麻を吸うのと、電車の中で見知らぬ女性に痴漢をはたらくのと、どちらが罪が重いか」という問いに、「そりゃあ大麻の方でしょう」と平然と答える後輩に向かって、「だからお前はいつまでたってもカノジョができねえんだよ！」と怒鳴る大人になろうとは夢にも思っていなかった。

中島らもは、私が人生で最初に体験した、リアルタイムの〈PUNK／NEW WAVE〉カルチャーである。パンクス、プッシャー、テロリスト、詩人……自分が受けた影響を元にしてその人が何者かをあらわすなら、こんな呼び方になるだろうか。

「アー・ユー・エクスペリエンスト？」

“Sure, of course.”

詩に呪われた者が、詩をドブに捨て、開き直って恥をかく営業マンへと生まれ変わった果てに獲得された、語り手〈僕〉の声の朗らかさ、いさぎよさは、ニヒリズムとロマンティシズムを千鳥足で掠めつつも、双方に砂をかけて立ち去るおっさんの頼もしい脚力に運ばれている。だが、最早現実にまみれることを恐れていない書き手が紡ぐその言葉の中に、あえて忌避されたかのような、青年期の詳述の徹底した不在を発見し、まだ十代だった私は慄然《りつぜん》とした。〈僕〉みたいな大人になるにはどうしたらいいのか、その途中の過程が見つからないのだ。その答えをこの本から探そうとしてみて、それが無駄だとわかると、途轍もなく大きな空白だけが、自分が生きつつある時間の目の前に拡がってゆくような気になった。そのことが、どうしたわけか、今ありありと思い出されてしようがない。

私はまだ、好き勝手に路を歩くことすら知らなかったのだ。

「馬鹿だったたんだなあ」

笑いながら、薄い巻紙に香ばしい緑の葉っぱをてんこ盛りにのせて、紙の端の糊の部分を舐め、細く煙草状に巻き、先に火を点けて煙を深々と吸い込む。さて、何を聴こうか？　“I made friends with a lot of people in the danger zone”と歌うアリス・クーパーのバラッドか。昔ミューズで観たティアドロップスの、「瞬間移動できたら」か。いやいや、ここはTHE FOOLSの“WEED WAR”を気持ちよく聴きたいね。

あっ。どこから嗅ぎつけてきたのか、「ええのん吸うてるなあ」とでも言いたげな様子の、トレードマークのグラサンをかけたギターのヘタっぴなラリった天使っぽいのが、物欲しそうにやってきた。窓のスキマから入ってきたのか。いやだなあ、勝手に胡座をかいて。軽く背筋を伸ばし気味に、「さあ。ほな、ぼちぼち」みたいな雰囲気で待ちかまえているし。間が持たんぜ。なんか、ハマる映像とかあればいいんだけど……。そうだっ！

《ナレーション：こんな時、『どんぶり5656』のDVDがあると大助かりです。》

ＣＭの画面にはモチロン、「よみうりテレビ」のロゴが入っている。ジャン＝リュック・ゴダールが、ＤＶＤのパッケージを持ってタワーレコードのレジに並んでいる映像に、《緊急発売決定》の文字が大きくかぶさる。タイプフイターのキーを打つ重たい金属音が、ガチャリ、ガチャ、ガチャと跳ね、遅れて文字が、《ダ・ト・イ・イ・ネ》と追いかけて、ここでまた私は目を醒ました。

この作品は一九八六年二月、大阪書籍より刊行され、一九九〇年二月、徳間書店より文庫化されました。その後、一九九五年十一月、双葉社より再度、文庫化され、今回、三度目の文庫化となりました。

日本音楽著作権協会（出）許諾第〇七一六八八〇—一二〇四号

集英社文庫 目録（日本文学）

中島たい子　そろそろくる
中島たい子　この人と結婚するかも
中島たい子　ハッピー・チョイス
中島美代子　らも　中島らもとの三十五年
中島らも　恋は底ぢから
中島らも　獏の食べのこし
中島らも　お父さんのバックドロップ
中島らも　こらっ
中島らも　西《さい》方《ほう》冗《じょう》土《ど》
中島らも　ぷるぷる・ぴぃぷる
中島らも　愛をひっかけるための釘
中島らも　人体模型の夜
中島らも　ガダラの豚Ⅰ～Ⅲ
中島らも　僕に踏まれた町と僕が踏まれた町
中島らも　ビジネス・ナンセンス事典
中島らも　アマニタ・パンセリナ

中島らも　水に似た感情
中島らも　中島らもの特選明るい悩み相談室　その1
中島らも　中島らもの特選明るい悩み相談室　その2
中島らも　中島らもの特選明るい悩み相談室　その3
中島らも　砂をつかんで立ち上がれ
中島らも　こどもの一生
中島らも　頭の中がカユいんだ
中島らも　酒気帯び車椅子
中島らも　君はフィクション
中島らも　変!!
中島らも・小堀純　せんべろ探偵が行く
中島らも　人体模型の夜
長嶋有　ジャージの二人
中園ミホ・古林実夏　ゴースト　もういちど抱きしめたい
中谷巌　痛快！経済学
中谷巌　資本主義はなぜ自壊したのか　「日本」再生への提言

中谷航太郎　くろご
中谷航太郎　陽炎
長月天音　ただいま、お酒は出せません！
中野京子　芸術家たちの秘めた恋　―メンデルスゾーン、アンデルセンとその時代
中野京子　残酷な王と悲しみの王妃
中野京子　はじめてのルーヴル
中野京子　残酷な王と悲しみの王妃2
長野まゆみ　上海少年
長野まゆみ　鳩《はと》の栖《すみか》
長野まゆみ　若葉のころ
中原中也　汚れつちまつた悲しみに……　―中原中也詩集
中場利一　シックスポケッツ・チルドレン
中場利一　岸和田少年愚連隊
中場利一　岸和田少年愚連隊　血煙り純情篇
中場利一　岸和田少年愚連隊　望郷篇
中場利一　岸和田のカオルちゃん

集英社文庫　目録（日本文学）

集英社文庫

頭《あたま》の中《なか》がカユいんだ

2008年1月25日　第1刷
2022年8月13日　第4刷

定価はカバーに表示してあります。

著　者　中島《なかじま》らも

発行者　徳永　真

発行所　株式会社　集英社
東京都千代田区一ツ橋2-5-10　〒101-8050
電話　【編集部】03-3230-6095
【読者係】03-3230-6080
【販売部】03-3230-6393(書店専用)

印　刷　図書印刷株式会社

製　本　図書印刷株式会社

フォーマットデザイン　アリヤマデザインストア　　マークデザイン　居山浩二

ISBN978-4-08-746260-9 C0193